LE VOL DES ANGES

LUIS THENON

LE VOL DES ANGES

VARIATIONS DRAMATURGIQUES

ÉDITIONS VA BENE

Les Éditions Va bene remercient le Conseil des Arts du Canada,
le ministère du Patrimoine canadien ainsi que la Société de développement
des entreprises culturelles du Québec (SODEC)
pour leur soutien financier.

Les Éditions Va bene sont une division des Éditions Nota bene.

Le vol des anges n'est pas un texte dramatique dans le sens traditionnel du terme. Il ne prétend pas réunir les exigences littéraires d'un texte dramatique, mais bien de proposer, tant aux lecteurs qu'aux créateurs du théâtre, un pré-texte, un scénario de base, une suite de conflits aux teintes absurdes se développant au milieu d'une série de péripéties propres au cinéma de classe «c». L'ordre des tableaux comme celui des scènes peuvent être totalement changés, et le discours des personnages, empruntant parfois aux paroles d'une mauvaise série télévisée, peut être coupé selon les besoins que la scène impose au rythme de la représentation.

Les nombreuses didascalies que le texte contient servent uniquement à donner aux metteurs en scène une vague idée de l'univers virtuel de l'auteur.

Je suis un homme qui a donné sa vie à la patrie,
sa vie
non pas sa chair
puisque la mort n'a pas voulu la prendre.
Aujourd'hui c'est la fin,
demain matin c'est la fin de la guerre.

L. T.

LE VOL DES ANGES DE LUIS THENON :
LA PAROLE DE L'EXIL

Alejandro Finzi

> ... Je voulais que tu sois là, au milieu de la boue, enfoncé dans la boue. Je voulais voir tes ailes enfoncées comme les lettres dans la boue. Les ailes dans la boue... et que le vent les emporte entre les morts et que tes ailes restent clouées à la boue comme tes croix...
>
> Luis THENON, 1999.

> « La guerre des trois n'aura pas lieu, Cassandre. »
>
> Jean GIRAUDOUX, 1935.

L'écriture théâtrale de la fin du siècle passé – le nouveau vient de commencer d'une façon certainement lugubre – conclut la décennie en portant à la pratique l'essai chomskyen (susceptible de s'étendre au système culturel à partir du champ de la linguistique), autour d'une possible « théorie des traces ». Selon cette théorie, lorsqu'un syntagme est supprimé ou déplacé par une construction de substitution, il laisse dans l'écriture une marque dans la structure profonde.

Aujourd'hui, la dramaturgie contemporaine opère comme ce palimpseste où le spectacle met en lumière la notion de l'instantané plutôt que la notion spectaculaire de l'éphémère. À la différence de ce qui construisit les idéologèmes qui caractérisèrent la théorie du « drame » entre le XIXe et XXe siècle, notre représentation du réel, dans le domaine des arts, a abandonné cet univers de l'éphémère pour celui de la pratique qui fait allusion à la construction d'une série continuelle des « instants » qui ne peuvent être lus qu'en codes culturels exprimant la « globalité ». Ces codes s'organisent selon une fonction qui n'agit pas comme élément différentiel, mais qui opère plutôt en construisant et en superposant les systèmes communicationnels. Ils abandonnent ainsi la manifestation esthétique de la réalité qui, comme « [...] la vigilia que se desvanece en el aire [...] » (Macedonio Fernández), se comprend alors comme un microcosme de signification historique générative. Mais l'œuvre d'art ainsi considérée est presque un mélancolique et irrémédiable hommage théâtral à la tradition, au lien entre le « social » et l'art, à l'idée de l'autonomie de l'art explorée par Adorno, pour qui l'art sera « l'antithèse sociale de la société » puisqu'« il n'est social que par la position antagoniste qu'il adopte en relation avec la société ».

Cependant, il semble que la discussion théorique de la théâtrologie énonce aujourd'hui l'espace des obsèques de la dramaturgie comprise en tant que discours autonome. C'est dans cet ordre d'idées que Thenon écrivit *Le vol des anges.* Cette pièce se veut en effet l'espace précis d'un essai dramaturgique pour discuter de cette autonomie en la déterminant dans l'espace d'une série culturelle qui, depuis les années 1980, associe des langages esthétiques jusque-là opposés. Cela m'amène à croire que le verbe dramatique s'installe, conditionnant son exercice dramatique à un système où l'image « écrit » le récit scénique, lequel est aujourd'hui écrit par la parole.

L'essai est une fusion de codes qui semble proposer une nouvelle rhétorique. Cette rhétorique semble s'accorder avec la rénovation de l'espace de l'écriture théâtrale. Dans cet ordre, c'est possible de le reconnaître dans une nouvelle relation structurelle dans la réécriture du monologue, de la sentence et des tirades, tel qu'on peut le remarquer par exemple dans un cadre historique des échanges de l'esthétique théâtrale, comme fut le cas au XVIe siècle de l'émergence d'une *Cléopâtre captive* de Jodelle, au cœur de la tragédie humaniste. C'était alors la voix du chœur qui réunissait, en tant que protagoniste, les dialogues entre les façons lyriques-récitatives du discours prédicatif, et l'action dramatique naissante qui allait se développer tout au long du XVIIe siècle.

Ainsi, dans des termes propres à l'éloquence comparative, les moyens d'expression du chœur, dans *Le vol des anges,* sont ceux de l'image et de l'acteur, et ce, de façon contiguë.

Le dialogue se déroule ici entre deux natures qui s'interpellent, sans solution de continuité, dans une relation dialectique. Le dialogue, comme dans la célèbre pièce d'Étienne Jodelle, est la rencontre « sous tension » – aujourd'hui on parlerait, avec réticence, de « conflit » – entre deux univers, deux époques. À la différence de l'humanisme français (lequel a recourt au dialogue du chœur pour placer comme interlocuteurs l'univers des Mystères qui s'égarait au Moyen Âge et le précipice dans lequel il poussait le comédien à « se montrer » en action, en tant que personnage des tréteaux), l'écriture du XXIe siècle fait en sorte que les images et les répliques soient les deux expressions d'un chœur et d'un contre-chœur qui se disputent le même espace d'appartenance dans l'histoire du drame moderne (ou plutôt de ce qui reste de celui-ci après que l'histoire du spectacle ait énoncé de façon réitérée sa multifonctionnalité communicationnelle). Ce qui signifie que Thenon travaille, dans sa dramaturgie, une redéfinition des espaces.

Dans notre tradition théâtrale, c'est le discours prédicatif, par le biais des évocations, qui amène l'espace virtuel au présent scénique. On le *voit* dans un récit qui s'étend infiniment entre deux petites portes de ces vieilles maisons des faubourgs de Buenos Aires qui s'ouvrent dans la dramaturgie argentine de Carlos Gorostiza ou de Roberto Cossa ou, avant eux, dans la campagne tchekhovienne et dans les lacs de cantons de Schiller.

Dans *Le vol des anges,* le discours multimédia amène au présent cet espace virtuel, mais en

l'amenant au présent et en le réifiant, il le déter-
mine, le déplace du présent scénique et le maté-
rialise comme dispositif scénique. Le discours en
tant que narration multiple devient système de
signes. S'agit-il d'un signe de plus ou d'un signe
des temps ? En fait, l'un et l'autre parce que,
effectivement (et aujourd'hui la guerre qu'annonce
ce cruel septembre paraît le proclamer), notre
culture donne une nouvelle dimension aux sujets
communicationnels.

Dans la terminologie de l'analyse des dispositifs
esthétiques, le texte est écrit comme un ruban sans
fin, unidimensionnel, qui tourne, indifférent et
monotone. Le texte est situé dans un processus
d'une double écriture, d'une écriture superposée.
De ce ruban, la perspective a été effacée – nous
nous retrouvons, comme à l'époque de Jodelle, aux
portes françaises de la *rinascita* de Vasari – et
livrée à la consommation de l'instantané. Ainsi,
cette perspective devient non différenciatrice : il n'y
a pas d'espace proche et d'espace lointain, il y a un
espace contigu qui se fait coextensif à celui du présent scénique. De là que l'écriture des didascalies,
dans cette pièce, soit si bien développée.

Dans l'écriture argentine d'aujourd'hui, Thenon
est celui qui a travaillé avec la plus grande préoc-
cupation l'écriture des didascalies. Cette dramaturgie ne connaissait pas une telle exposition depuis
l'émergence de l'œuvre de Federico Undiano,
auteur né dans la province de Jujuy en 1932 et
décédé il y a un an à Paris, où il vivait depuis deux
décennies. Ce dernier a attribué à l'écriture

didascalique un régime d'autonomie expressif qui, depuis les années 1970, ne connaissait pas d'autre précédent. Ses œuvres, *Le candélabre d'argent* et *Le cimetière de ferraille*, pour ne mentionner que les œuvres qui connurent une diffusion plus large, révèlent une écriture des didascalies qui approvisionne l'espace scénique de tous les impératifs qui façonnent l'action des personnages, et cela, autant sur les plans plastique, de la gestuelle, de la lumière que du son. Dans l'œuvre de Undiano, l'écriture didascalique encadre les dialogues à un point tel que celle-ci devient une sorte d'organisation dramatique première et en même temps capable de construire un milieu concret.

Dans cette lignée, l'écriture du système des didascalies proposée par Thenon va au-delà de la démarcation récurrente des axes intérieur/ extérieur, horizontal/vertical, espace ouvert/espace fermé : la dynamique spatiale qui émerge des didascalies ferme les hors-scène (celui que, comme dans *Phedra*, garde pour soi la mort ou cet autre que, comme dans *Britanicus,* cache un semblable – « … ces murs mêmes, Seigneur, peuvent avoir des yeux ») – et le neutralise : « des multiples écrans à angles différents, parfois superposés. » Je dis qu'il le neutralise et non qu'il établit un axe spatial différent ou nouveau, puisque dans l'espace scénique proposé par Luis Thenon il n'y a aucun lieu de provenance ; le monde s'est rétréci définitivement, la planète s'est également rétrécie à cause d'une si grande tristesse, d'une dévastation, et d'une grande peine. La planète est triste de constater qu'il y a, pour elle, seulement un lieu, si lieu il y a, qui rentre dans un coin égaré de notre cœur, dans l'ultime bataille à laquelle cette œuvre nous convie.

À ce travail il faut ajouter une écriture découlant du savoir-faire que Thenon, en tant que metteur en scène, a développé dans son Buenos Aires d'origine, avec des montages qui explorèrent la plus récente dramaturgie européenne, et plus tard dans le travail qu'il poursuit comme directeur de l'Atelier de Recherche Théâtrale (A.R.T.) de l'Université Laval. Son travail de création, dans le champ de la mise en scène, peut se « lire », dans la continuité de son œuvre, dans les compositions organisées autour des deux personnages de la pièce *Le vol des anges*. La didascalie se construit ici comme une « sténographie » persistante et qui focalise l'exploration gestuelle du personnage en lui proposant une notation rythmique, tonale et en tension, à travers laquelle il arrive à la conception d'une composition – utilisée ici dans le sens musical du terme – d'action intégrale. Cette *portée musicale* s'inscrit dans le discours dramatique, dans le champs d'un récit qui opère comme une organisation transitive, c'est-à-dire comme le détonateur d'une écriture littéraire :

> *L'Ange le regarde sans rien dire. Le Soldat se laisse entraîner dans ses propres paroles comme dans un rêve ou une ivresse agréable et soudaine. Ses yeux se remplissent d'images, comme un enfant émerveillé qui se retrouve pour la première fois face à un écran de cinéma.*

15

L'écriture dramatique de Thenon se situe également, il est nécessaire de le dire, loin de l'hyperbole sartrienne dévoilée dans *Huis clos* où le monde extérieur est à la fois nié et anathématisé. Elle sera un essai pour lire cette partition du multimédia. La perspective scénique est renvoyée à la parole. La direction semble se réorienter selon les termes de la poétique de Pier Paolo Pasolini. Ainsi, c'est le discours du personnage qui « exerce » l'espace, qui l'organise : le Soldat l'engage dans un registre choral, c'est-à-dire un régime qui assure sa voix plurielle, stigmatisée. Le Soldat, c'est tous les soldats exclus, en exil, dans une parole dont la résonance est la propre aliénation :

> *C'est ça, je suis seul et je ne suis pas seul. Tu vois que tu es complètement flingué ? Décide-toi. Si je suis tout seul c'est parce qu'il n'y a personne d'autre et si je ne suis pas tout seul c'est parce qu'il y a quelqu'un d'autre. C'est simple.*

La réponse se trouve dans un autre texte de guerre, le manifeste désespéré écrit dans l'enfer et l'agonie de la tranchée par l'allemand Borchert Wolfgang, en 1946 :

> *Plus jamais ne marcherons plus jamais de nouveau ensemble, car dès maintenant chacun marche de nouveau solitairement. C'est beau. C'est difficile. Ne plus avoir l'Autre, buté, grognant près de soi, la nuit, la nuit pendant la marche vers le champ de*

bataille. Celui qui écoute. Celui qui ne dit jamais rien. Celui qui digère tout.

La parole de Thenon (« Tu n'aimes pas entendre ce que je raconte. Tu sais tout mais tu ne veux pas savoir ») est un lieu de circulation où se produisent les schémas spatiaux qui surviennent dans l'univers des représentations ; c'est un lieu distinct qui se répercute, tout au long du texte, sur les champs de la composition multimédia. La parole est le seul refuge et, en même temps, le lieu de la liberté (tel que le proclame férocement le texte pasolinien).

Dans un même temps, le texte de la pièce est un « laboratoire de dramaturgie », un essai, un espace de représentation non achevé, indéfini. Cependant, il n'est pas conçu selon les termes d'une œuvre ouverte, ce qui est encore le cas de certaines pièces puisque l'esprit des années 1960 (à l'intérieur des limites définies par le théâtre européen des années 1990) n'a pas encore fermé son cycle expérimental.

C'est un autre travail que Thenon propose dans *Le vol des anges,* un travail qui se rapproche d'une de ses plus récentes pièces, *La ligne,* et plus distant dans la proposition formelle que dans la proposition thématique d'un de ses textes le plus diffusé, *Los Conquistadores de la Frontera Norte.* Thenon ouvre une « boîte à outils ». Une fois ouverte, nous pouvons la mettre en relation avec la métaphore énoncée par Foucault dans sa « Microphysique du pouvoir » (texte qui, par les tristes jours que nous traversons, acquiert une actualité inespérée), parce que dans *Le vol des anges* le texte théâtral n'est plus un microcosme renfermé sur soi-même : à l'intérieur de ce « laboratoire dramaturgique », on travaille, on *utilise* le texte, on expérimente. C'est le sens de l'affirmation de Foucault, qui prétend, pour définir les propos de l'entité d'un livre, que celui-ci, sans plus, « doit former machine avec quelque chose, doit être un petit outil sur un extérieur ».

L'Ange est celui qui possède la parole en expansion, la parole qui convoque, qui organise le système expulsé des modalités appellatives :

> *C'est étrange comme le silence peut occuper la place du son et rester là, longtemps, comme un monde arrêté en plein mouvement... prêt à continuer et pourtant, arrêté, seul, avec les mouvements intérieur ou le silence. Et tout ces corps. Pourquoi ? Dis-moi, dis-moi pourquoi ? Pourquoi est-ce que les choses doivent se passer de cette façon ? Je ne comprends pas. Non, je ne comprends pas. Et tu es là. Tu restes là et tu ne t'en vas pas. Pars, s'il te plaît. Pars !*

Ce travail ressemble à celui de Federico Undiano qui proposa, dans ses œuvres, un essai d'écriture « intra-scénique », ce qui fut, dans son cas, un essai isolé. Thenon, lui, rompt avec l'écriture de ses origines argentine et latino-américaine. En premier lieu, par la diffusion, étant donné que le répertoire de ses œuvres a été diffusé initialement en France, en Belgique, dans les pays du Nord d'Afrique, en Espagne, aux États-Unis et au Canada, avant de faire son entrée dans les théâtres de l'Amérique du Sud. En deuxième lieu, et en considérant les aspects formels précédemment évoqués, par le fait que la dramaturgie de Thenon cherche à réécrire le réalisme et l'anecdote. Cette écriture rompt aussi avec celle des plus récentes générations d'auteurs, représentants de ce qu'on appelle les nouvelles tendances, puisque là la nouveauté consiste, pour la plupart du temps en ce qui concerne l'Amérique latine, dans la réécriture de l'absurde littéraire européen des années 1950. L'écriture de Thenon s'engage dans une voie solitaire qui se place à une distance significative des notions structurelles d'actualité selon la construction de la *fictionnalité* empathique. Cette *fictionnalité* propose la participation affective et souvent émotive du spectateur face au fait scénique.

Le vol des anges est un texte qui s'inscrit dans une série dramatique dont le noyau est le champ de bataille, le champ de l'extermination, le champ de la mort (« Des fois, je me demande si c'est possible de partir, de laisser derrière soi tout l'important. Je me demande si c'est possible de mourir sans être mort »). L'actualité de cette œuvre est liée à l'histoire du théâtre occidental. Ce texte assume aujourd'hui, fin septembre 2001, quand les saisons de l'année se changent dans le silence de la cruauté – T. S. Eliot parlait ainsi du mois d'avril –, une distance féconde face à une autre scène. Cette scène s'inscrit dans le spectacle apparemment nouveau, symptomatiquement médiatique, monté sur un « ruban » pour construire une réalité qui puisse être consommée dans un canal informatif standard. Ce montage ouvre ainsi la porte du nouveau siècle, c'est lui-même qui peut expirer comme le mauvais étouffement d'un bébé non né des femmes, tel que le raconte la légende écossaise qui donna vie au personnage shakespearien.

Le Soldat construira, avec les champs de la bataille, un petit univers ; l'Ange l'habite depuis toujours.

Les deux personnages que Thenon fait dialoguer sont aussi des constructions allégoriques : l'Ange exterminateur et le dernier fils vivant de la civilisation peuvent trouver le lieu dans la parole. Ce qui reste, c'est la première chose qui attache l'être à sa condition insondable, primordiale et solitaire :

> *Tu ne sais pas ce qu'est l'obscurité.*
> *L'obscurité c'est la nuit partout. Une nuit si*
> *intense qu'elle vient te prendre, t'enfermer,*
> *te laisser figer au fond du puits. La nuit est*
> *partout jusqu'à l'intérieur de toi.*

Nonobstant, nous ne sommes pas face à une association fortuite qui, de façon intempestive, associe un texte dramatique à l'incertitude d'un monde qui a changé sa destinée contre une monnaie ; une monnaie qui avant s'appelait surprise et qui aujourd'hui s'appelle terreur. Ce qui est certain, c'est que le théâtre, une fois de plus, fait un pas en avant et s'ouvre comme la grotte d'Alcandre, même s'il ne reste aucune illusion, selon les termes féeriques de Corneille. Il ne reste à peine qu'une autre illusion, celle née de la certitude de l'agonie qui réunit, par égal, les deux personnages dans un même texte :

> *Ça c'est ton illusion, l'illusion que vous avez*
> *tous. L'obscurité totale de la nuit, vous ne*
> *savez pas ce que c'est. Vous ne savez pas ce*
> *qu'est l'obscurité jusqu'à la plus profonde*
> *existence de la nuit à l'intérieur de moi !*

Et cette promesse anéantie du Soldat ne trouve pas non plus abri dans les différentes langues qu'il parcourt dans son appel. Pour le personnage de Thenon, cette langue n'est qu'une seule terre, qu'un seul parage puisqu'il n'y a plus comme destin aucune construction de l'avenir. En faisant cette lecture, et en prenant le rôle du metteur en scène, je pourrais proposer un nouveau montage sonore avec une composition qui a parcouru le siècle : la *Chanson pour les enfants morts* de Malher.

En ce sens, la réunion dans la mort est, dans *Le vol des anges,* un axe inévitable dans la construction de la pièce. Un axe de composition, puisqu'il propose un déplacement lent vers cette réunion qui, progressivement, conclut, laisse la trace de la justification scénique des deux personnages. Ceci semble évoquer tout à coup l'énonciation d'Emmanuel Levinas :

> [...] *là où la souffrance atteint à sa pureté,*
> *où il n'y a plus rien entre nous et elle, la*
> *suprême responsabilité de cette assomption*
> *extrême tourne en suprême irresponsabilité,*

en enfance. C'est cela le sanglot et par là précisément il annonce la mort. Mourir c'est revenir à cet état d'irresponsabilité, c'est être la secousse enfantine du sanglot.

Thenon, loin du développement de la disgrâce d'une péripétie, écrit une fable interlinéaire avec la résolution d'un récit : la réunion de l'Ange et du Soldat. Médiation essentielle qui rend visible de façon spectaculaire les opérations d'écriture *mises à jouer* dans le texte. Ce sont des mutations d'une fuite – le terme est utilisé dans son sens musical – sur un thème unique proposé selon une perspective sérialiste. Cette ligne de composition se construit progressivement dans la relation entre une voix apocalyptique et un registre choral. Cette construction dramaturgique se base sur une structure de mutation telle que définie par la doctrine shoenbergienne de *l'émancipation de la dissonance*. Le sujet revient sur lui-même au moyen d'un répertoire anecdotique minimal, tonal, qui unit les deux personnages : le métier du Soldat naît des lettres égarées.

Elle dit la même chose que toutes les lettres, les mêmes mots qu'on écrit tant de fois... des phrases qui se promènent d'une lettre à l'autre...

Ici les choses ne finissent pas, elles continuent, elles sont un mouvement perpétuel.

Le métier de l'Ange, le *messager*, prend forme dans l'annonce d'un monde qui peut ne jamais avoir lieu. Ni l'un ni l'autre ne peut échapper au métier de la guerre, celui-là même qui, dans un second temps, survient d'une manière imminente. Et quand cela arrivera, l'humain pourra peut-être formuler, une fois de plus, une question fondamentale.

LE VOL DES ANGES

TEXTE-MULTIMÉDIA

DRAMATIQUE
POUR DEUX PERSONNAGES ET UN ACTEUR,
ENVIRONNEMENT VISUEL,
ENVIRONNEMENT SONORE ET VOIX MULTIPLES

NOTE À L'INTENTION
DES METTEURS EN SCÈNE

Dans cette pièce se trouvent un certain nombre de didascalies, concernant tant des mouvements que des indications scéniques et audiovisuelles. Il est important de comprendre que ces indications n'ont pour but que de donner au metteur en scène une approximation de l'espace imaginaire de l'auteur. En conséquence, le créateur théâtral devra se positionner face à ce texte, en sachant que ces didascalies ne sont qu'une simple proposition de lecture. Ce texte lui appartient.

Ce texte est une version en un acte, tirée du texte intégral *Le vol des anges,* en six tableaux, et peut servir comme exemple pour diverses configurations dramatiques faites à partir du texte original *Le vol des anges, six variations sur un même thème.*

L'AUTEUR

*L'espace scénique est entouré d'un système
composé des multiples écrans, à angles
différents, parfois superposés, sur lesquels seront
projetées des images vidéo et cinématogra-
phiques. Ces images peuvent déborder les limites
des écrans et s'allonger sur le plancher de la
scène et les murs de la salle. Le décor, d'une
teinte expressionniste donnant l'impression
d'une cité en ruine, doit servir aussi d'écran,
recevant une partie des images projetées que
créent, en touchant des mailles métalliques, une
série de multiplications des images dont le
résultat final sera un espace aux profondeurs
indéfinies, habité par un univers en constant
mouvement. Cependant, les images autres que
celles de l'Ange et du Soldat ne devront, à
aucun moment, se constituer en centre
d'attraction principale et faire ainsi diminuer
l'importance des personnages principaux.*

*Les pans de murs de la cité, légèrement super-
posés, construits en partie avec des mailles
métalliques de transparences différentes,
laissent passer des images projetées (à l'aide
d'une batterie de projecteurs vidéo) qui se
déforment sur les écrans. Dans la mesure du
possible, certaines images projetées sur les
écrans du fond et des côtés de la scène seront
envoyées par rétroprojection. Ces projections*

sont le résultat d'un complexe montage qui mélange des images fixes et en mouvement. Elles prédominent celles, maintes fois superposées, d'un étrange personnage jouant du violoncelle, et celle d'une fillette, habillée d'une tunique blanche, qui se promène entre les objets du décor scénique et autour de laquelle des explosions se succèdent, créant un immense chaos qui contraste avec le visage serein de ces deux personnages. Sur ce fond viennent se superposer les images de l'Ange et du Soldat. Des images holographiques des deux personnages apparaissent à l'occasion, entre les éléments du décor.

Ces images et d'autres choisies (jamais descriptives), par le metteur en scène et le vidéaste, seront présentes durant la majeure partie de la représentation, donnant ainsi lieu à l'existence d'un univers visuel et sonore chargé et au rythme lent. L'espace devient alors un lieu étrange, habité à la fois par l'univers des images, des voix et des sons, et par les personnages de l'Ange et du Soldat, tous deux joués par le même acteur. Le résultat sera la construction d'un lieu où s'entrecroisent la réalité scénique des personnages et la représentation du monde allégorique créé par le jeu d'images et les effets sonores.

Au centre de l'espace se trouve une caisse de munitions. Sur le sol, quelques planches métalliques à moitié rouillées. Des fils électriques

traversent l'espace. Par terre, fils de fer barbelés et décombres s'entassent ici et là.

Une brume épaisse couvre le lieu. Tout semble arrêté de façon intemporelle, comme dans une image à la fois réelle et fantasmagorique. Une note de violoncelle soutenue semble pleurer sa solitude pendant qu'une brise légère commence à souffler, donnant au lieu une atmosphère encore plus triste.

La voix enregistrée de l'Ange résonne dans l'espace, mélangeant les langues (le metteur en scène choisira celles-ci librement). Cette dynamique sonore devra se continuer, de façon non répétitive, tout au long de la représentation.

Quand la lumière s'allume, le Soldat est assis sur la caisse de munitions, le regard fixé sur l'horizon. Il est habillé d'un costume militaire, comme ceux portés pendant la Grande Guerre.

La scène est complètement obscure.

S'approchant, une voix céleste résonne dans l'espace, pendant que d'une lumière très faible on projette sur les écrans l'image d'une vieille machine à écrire martelant le texte.

L'Ange des mystères est resté silencieux,
comme toujours,
derrière le brouillard des choses.
La vie passe à mon côté…

Les premières images apparaissent sur les écrans, à peine perceptibles. Le Soldat est assis sur la caisse, immobile. Sur les murs de la cité, les images projetées augmentent la lourdeur du lieu. Le focus des images change constamment, comme des vagues.

Durant la réplique à l'unisson, une lumière en douche s'allume sur le Soldat. Sur les écrans, les images se fixent un instant.

À l'unisson

L'ANGE (VOIX ENREGISTRÉE EN SOLO ET EN CHŒUR)

On m'avait dit que la mort était comme une tache obscure qui s'approche lentement.
Des fois, *me pregunto* si c'est possible de partir, *dejar* derrière soi *todo lo importante.*
Je me demande si c'est possible de mourir sans être mort. Se laisser exister ou se défaire des objets pour regarder le quotidien qui passe, sachant que tout ça n'a aucun sens.

LE SOLDAT (VOIX NATURELLE ET VOIX DOUBLÉE SUR ENREGISTREMENT)

— Reste là !

— Reste là !
qu'ils ont dit.

C'est long.

— Reste là !
Oui. Je sais.
— Reste là !
Je sais.

C'est long.
Oui. Je sais.

Tout est pareil. Je me demande pourquoi les jours se suivent et s'accumulent. En moi, la lumière and the night ne sont qu'une seule réalité. Tout est pareil ! Je reste ou je pars. Je vais d'un lieu à un autre, sachant que dans la vida todo es efímero y mortal, que ce que les autres font maintenant ne sert qu'à user le temps jusqu'au néant. Et là pour créer un espoir, pour découvrir quelque chose, quelque part dans la ville, une espérance égarée qui aide à exister encore un peu. Et encore un peu. Sais-tu pourquoi les jours sont si longs ?

Le Soldat ne lui répond pas.

Parfois j'ai peur. Moi aussi j'ai peur. Je suis là et j'attends. C'est si long d'attendre quand il n'y a rien à attendre. El tiempo est là autour de moi et je suis au milieu du temps et

C'est toujours très long.

— Reste là !
— Reste là !
C'est toujours très long.

J'ai entendu des voix.
Oui, j'ai entendu des voix.

tout est noir, comme la nuit. Être là, sans savoir où. Être dans l'espace infini de l'éternité et se savoir là, nulle part, parce qu'on n'est plus.

LE SOLDAT — Reste là !
— Reste là !
qu'ils ont dit.
— Reste là !
Depuis, j'suis là, et j'y reste. C'est long.

Il commence à siffler pendant qu'il frappe machinalement sur son fusil, suivant un certain rythme. Il sort une cigarette, craque une allumette. Il regarde la flamme se consumer puis range la cigarette qu'il n'a pas allumée.

Aujourd'hui j'ai entendu des voix qui se parlaient. J'ai pas compris, mais je les ai entendues. Ils étaient des deux côtés de la ligne, et ils se parlaient.
Là !
et là !
...ou peut-être là.
— Tire pas !
qu'il disait,
— Tire pas !
et l'autre ne disait rien.
— Tire pas ! Tu sais, il faut que j'aille là parce que... j'ai mal au ventre. C'est de la merde qu'on mange de ce côté-ci, ah ! ah ! ah !
Et l'autre, rien.
— Au moins vous mangez !
C'est ça, qu'il lui a répondu.

— Tire pas !
et l'autre,
— Vas-y ! Mais si je te vois je tire
Et il riait très fort. Il trouvait ça drôle.
— Tire pas !
et l'autre,
— Vas-y ! mais je tire.
Et il riait.

Pause.

Après, l'un parlait, l'autre pas.
— C'est pas moi ! C'est pas moi !
qu'il disait.

Pause.

— J'ai pas tiré !
et l'autre, rien.
— Va chier !

Pause. Il pleure en silence. Son regard se promène dans l'espace autour de lui, comme s'il voulait se distraire, ne pas y penser.

— Reste là !
qu'ils ont dit.

Les bombardements recommencent. Il court dans l'espace et tout à coup, se faisant petit, il remet son casque et reste sans bouger. Au bout d'un moment, les bombardements cessent. Il sort un morceau de tissu et commence à frotter son fusil. Presque en même temps, il se met à chanter. Des images religieuses se font de plus

en plus présentes sur les écrans, se mélangeant à la fumée des explosions, qui bougent au ralenti.

Malbrought s'en va en guerre, mironton, mironton, mirontaine. Malbrought s'en va en guerre, et ne s'en revient plus. Il reviendra à Pâques mironton, mironton, mirontaine, il reviendra à Pâques ou à la Trinité, ou à la Trinité. La Trinité se passe, mironton, mironton, mirontaine, la Trinité se passe, Malbrought ne revient plus.

Sans s'en rendre compte, il chante de plus en plus fort. Quand il s'aperçoit qu'il est presque en train de crier, il sourit, gêné, et continue de chanter très bas.

La Trinité se passe, mironton, mironton, mirontaine, la Trinité se passe, Malbrought ne revient plus…

Il frotte toujours son fusil. Tout à coup il se met debout, très inquiet, lève son fusil, charge une balle et regarde tout autour. Le visage de la fillette se multiplie sur les écrans et disparaît derrière l'image de l'arche sur les cordes du violoncelle. Le son s'étire dans une note basse.

Qui est là ?

Il répète encore plus fort, à la fois avec violence et avec peur.

Répondez… qui est là ? !

Il reste un instant immobile puis retourne s'asseoir.

Non, j'aime pas quand on n'y voit rien.

Les bombardements recommencent. Il court dans l'espace et tout à coup, se faisant petit, il remet son casque et reste sans bouger. Au bout d'un moment, les bombardements cessent. Il entonne une comptine. Sur les écrans apparaît l'image d'une procession de vieillards, qui se mélange à d'autres images, fixes et en mouvement.

Hirondelle, hirondelle, hirondelle,
Quand tu partiras en voyage
Dis-lui de faire vite ses bagages
Dis-lui que je meurs d'ennui.

Hirondelle, hirondelle, hirondelle,
Quand tu partiras en voyage
Dis-lui que j'attends son message
Dis-lui que je meurs d'ennui.

Hirondelle, hirondelle, hirondelle,
Dis-lui que j'attends qu'il revienne
Hirondelle, hirondelle, hirondelle,
Dis-lui que je meurs d'ennui.

Il parle très vite.

Un jour j'étais seul au milieu des champs et des gens sont passés et ils chantaient. La chanson racontait l'histoire d'une fille qui attendait que son amour revienne. Elle était triste parce que ça faisait longtemps qu'il était parti et elle n'avait pas de nouvelles de lui parce qu'il ne lui écrivait pas et elle croyait qu'il était mort parce qu'il était parti à la guerre. À la fin de la chanson...

Il s'arrête brusquement. Son visage se durcit, jusqu'à se charger d'une certaine violence. Sur les écrans, les images (en mouvement presque imperceptible) d'objets et de fragments du décor.

Ça vaut pas la peine d'y penser. De toute façon je me souviens plus de rien tellement c'est loin.

Il reste un temps perdu dans ses pensées.

— Reste là !
Oui. Je sais.

Pause.

Je n'entends plus rien, les voix ne chantent plus. Elles sont parties avec les autres voix.
Moi on m'a dit
— Reste là ! C'est très important !
Alors je reste et j'attends.

Il s'assoit et reste silencieux. Tout à coup, les tirs d'artillerie se font très proches.

— Ça y est, ça recommence.

Après un instant, le bruit des explosions s'éloigne jusqu'à disparaître. Le Soldat regarde autour de lui. Les ombres de la nuit tombante commencent lentement à l'entourer. Les voix ne parlent plus. Alors, une profonde sensation de solitude l'envahit. Sur les écrans prédomine l'image de gens qui déambulent comme des fantômes dans une ville abandonnée.

La nuit va bientôt arriver. J'aime pas la nuit. On ne voit pas. La nuit on n'y voit rien. Les bruits viennent de partout. Ils sont toujours derrière toi, comme s'ils t'attendaient et toi, tu ne les vois pas. Rien que des ombres qui bougent tout le temps et des bruits derrière toi. J'aime pas la nuit ! C'est vrai que les autres n'y voient rien eux non plus, mais tu ne le sais pas. La seule chose que tu sais, c'est que tu n'y vois rien et que t'es seul. Des fois on entend des voix la nuit. On ne comprend pas ce qu'elles disent, mais on sait qu'on n'est pas seul. C'est mieux de ne pas comprendre ce qu'ils disent dans les tranchées. J'aime mieux ça comme ça.

Pause.

Après, la voix ne répondait plus.
— Va chier !
qu'il disait l'autre.
— Va chier ! Va chier...
J'aime pas la nuit.

L'obscurité a gagné l'espace. L'image de l'Ange apparaît sur un écran, au milieu des autres images. Le Soldat sort une cigarette et s'apprête à l'allumer quand il s'aperçoit que la nuit est

autour de lui. Constatant le danger d'être vu par l'ennemi, il reste un instant immobile. Il est fâché contre lui-même. Il sort une boîte et range sa cigarette. Il regarde longuement en direction de l'image de l'Ange (qui sera toujours interprété par le même acteur qui joue le Soldat).

Ah ! t'es là. Ça fait longtemps que je t'ai pas vu. Je croyais que tu ne reviendrais plus.

Le Soldat regarde ailleurs, comme s'il voulait l'ignorer, puis il lui parle d'un air hautain.

Qu'est-ce que tu veux ? Je suis fatigué de te voir là, à m'observer sans rien dire. Va-t'en ! T'es qu'un trou au milieu de la nuit ! Qu'est-ce que tu veux ? Va-t'en ! Tu vois pas que je suis occupé ?

La voix de l'image de l'Ange sera, pendant toute la durée de sa présence, celle de l'acteur jouant le personnage, doublée d'une autre voix, de préférence avec un accent étranger.

L'IMAGE DE L'ANGE — Ils vont te voir.

LE SOLDAT — Tu parles ?

L'Ange le regarde fixement pendant que le Soldat, confus, regarde la cigarette qu'il s'apprête à allumer.

Ils vont me voir… Tu parles, vraiment ? Oublie ça. Je crois que je commence à être fatigué.

Il rit.

Je sais même pas si t'es vraiment là et maintenant je me mets à croire que tu parles !

L'IMAGE DE L'ANGE — Je t'ai seulement dit qu'ils allaient te voir.

Le Soldat le regarde, incrédule, le souffle coupé, les yeux grands ouverts.

LE SOLDAT — Là tu as parlé…

Puis, criant vers l'Ange, presque sûr de l'avoir entendu.

Tu as parlé ? !

L'Ange le regarde, muet. Le Soldat est furieux.

Joue pas avec moi !

Il se remet à chanter. L'Ange disparaît et quelques instants plus tard réapparaît sur un autre écran. Il en sera ainsi pour le restant de la pièce.

Malbrought s'en va en guerre mironton, mironton, mirontaine. Malbrought s'en va en guerre…

L'IMAGE DE L'ANGE — Pourquoi as-tu peur de la nuit ? C'est vrai ce que tu as dit. Pendant la nuit tu ne vois rien, mais les autres, si tu n'allumes pas ta cigarette, ils ne te voient pas non plus.

LE SOLDAT — Tu parles. Oui, tu parles !

Sentant qu'il peut échapper à l'emprise de la nuit, son visage s'éclaire d'un sourire candide.

Si tu parles, tu peux m'aider !

L'IMAGE DE L'ANGE — Je ne peux pas effacer la nuit.

LE SOLDAT — Non… mais tu peux voir… même la nuit.

L'IMAGE DE L'ANGE — Je n'y vois rien.

LE SOLDAT — Oui, tu vois tout. Les anges comme toi sont capables de tout voir.

L'IMAGE DE L'ANGE — Je n'y vois rien. Autour de moi l'espace est infini et je ne le vois pas. Quand tout est noir, on ne voit rien du tout. Peu importe où je me trouve je suis au centre et le noir est autour de moi.

LE SOLDAT — Je suis au centre moi aussi ?

Il serre son fusil avec force. Encerclé de toutes parts, de plus en plus prisonnier des ombres de la nuit, il se crispe comme un animal traqué. L'Ange parle d'un air terrible, quasi apocalyptique, se laissant emporter par ses souvenirs. Peut-être.

L'IMAGE DE L'ANGE — Pars ! Pars !

LE SOLDAT — Je peux pas. Ils ont dit…

L'IMAGE DE L'ANGE — Pars !

LE SOLDAT — Ils ont dit
— Reste là !

L'IMAGE DE L'ANGE — Pars ! !

LE SOLDAT — C'est très important ! ... et puis, c'est
la nuit...

L'IMAGE DE L'ANGE — Pars ! ! !

LE SOLDAT — J'y vois rien !

*Les images de l'Ange se multiplient sur les
écrans dans un tourbillon infernal.*

L'IMAGE DE L'ANGE — Si tu restes là, c'est comme si
tu marchais toujours vers la limite de la nuit
sans jamais atteindre la fin. Si tu restes là,
l'obscurité sera toujours là. Alors, il t'arrivera ce
qui doit t'arriver. L'ivresse de la nuit te fera
perdre l'attention pendant un instant, un seul
instant, petit, et là, ce sera le moment. Dans ce
tout petit moment, dans cet instant infinitésimal, une minime fraction de la nuit, l'horizon
noir qui est la substance de la nuit entrera dans
ton corps et sans t'en rendre compte, tu
commenceras le long voyage de la nuit et tu ne
le sauras jamais. Pars !

Le Soldat le regarde, atterré.

Comme toutes les choses infinies, chaque point
de la nuit est égal à toute la nuit, mais le secret
ne se trouve pas dans un seul point de la nuit.
La nuit n'est pas un nuage sur lequel on repose

son ignorance crédule. Moi non plus je n'y vois rien. Pars. Ne m'écoute plus. Pars. La substance de la nuit n'a pas d'importance. Moi je n'ai pas d'importance. Tu dois partir !

L'angoisse du Soldat se transforme peu à peu en délire. Dans son discours, le présent se mélange au possible.

LE SOLDAT — Si je vois passer un ange, je lui ferai un sourire, naturellement, comme si les nuages étaient pleins d'anges. Lui, l'ange, me dira « Pars », avec une voix étrange, comme celle des rêves. « Pars » me dira l'ange et moi je ne lui répondrai pas. J'attendrai que la nuit s'en aille et l'ange me dira « Pars », avec sa voix de fond de tiroir, mais je ne lui répondrai pas.

Il reste un instant silencieux, les yeux fixés dans le noir, égaré. L'Ange disparaît lentement. Le Soldat s'abandonne peu à peu, puis il s'endort. Dans l'obscurité, les bombardements recommencent. Progressivement, la lumière du jour éclaire la scène. Les bombardements cessent. Il se réveille sans savoir ce qui se passe autour de lui. Un instant après, il s'aperçoit qu'il a dormi et se met brusquement debout, le fusil dans les mains. Dans un geste mécanique, il actionne le chargeur et demeure en position de combat. Le silence est total. Ensuite, il retourne s'asseoir sur la caisse. D'en haut d'un écran, l'Ange le regarde à nouveau. Le Soldat se tourne vers lui.

51

Une triste solitude s'installe progressivement dans la voix de l'Ange.

L'IMAGE DE L'ANGE — Les soldats, lorsqu'ils sont seuls, pensent justement au fait qu'ils sont seuls. Chaque jour est comme une nouvelle solitude qui commence. Maintenant, moi aussi je suis seul, mais ce n'est plus la même chose. Les soldats comme toi pensent que c'est important d'être ici, mais en réalité, au fond de toi, tu sais que si tu n'étais pas ici, rien ne changerait, ou presque.

LE SOLDAT — Les soldats ne pensent à rien.

L'IMAGE DE L'ANGE — Oui, je sais, les soldats ne pensent pas. Alors tu es là. Ou tu n'es plus là et c'est pareil.

LE SOLDAT — Je ne comprends rien à ce que tu dis.

L'Ange reprend son air apocalyptique.

L'IMAGE DE L'ANGE — Personne ne s'en fera si quatre tonnes de fer te passent sur le corps. Personne ne s'en fera si trois bataillons marchant au pas t'enfoncent dans la boue, un peu plus.

LE SOLDAT — Quand il fait jour, tout est différent. Pendant la nuit, c'est difficile, mais le jour les choses ne sont pas si terribles. C'est vrai que le jour c'est long, mais la nuit c'est pas pareil. J'aime pas la nuit.

L'Ange disparaît. Le Soldat le cherche.

Où est-ce que t'es ?

Il constate que l'Ange est parti.

Quand on est seul, si on n'est pas là, je veux dire… Tu es là ? Tu dis que rien ne change. Si on n'est plus là, personne ne s'en fait. Personne.

Il le cherche encore.

Où est-ce que t'es ?

Il reste un instant silencieux et fait des efforts pour entendre un bruit qui puisse lui révéler que l'Ange est là, que la vie continue dans ce coin oublié où l'on meurt toujours incognito.

T'es fâché ? Où est-ce que t'es ?

L'Ange réapparaît un court instant.

L'IMAGE DE L'ANGE — Ici. Ne crie pas.

Il change constamment de place sur les écrans, puis il s'installe dans un angle de la scène.

Je suis ici.

Ils se regardent d'un air méfiant. Ensuite, l'Ange continue de parler en faisant un effort pour se calmer.

Tu es comme les autres. Tu ne fais qu'être là, en attendant on ne sait quoi. Qu'est-ce que tu attends ? Les derniers fidèles ? Les prophètes ?

Sa voix résonne dans l'espace comme un vent étourdissant.

Ceux qui croient encore attendent toujours le Sauveur du naufrage ou l'ordre de l'offensive, ce qui est la même chose ! Pars. Pars une fois pour toutes. Pars et ne reviens plus. Ne regarde plus en arrière et pars.

LE SOLDAT — Je peux pas m'en aller,
— Reste là !
Reste là !
qu'ils ont dit.
— Reste là !
Et je suis là, et j'y reste. C'est tout. Qu'est-ce que tu sais toi !

Pause.

Tu sais tout ? !

Perdant l'Ange de vue, il s'inquiète.

Des fois, j'ai l'impression qu'il est toujours là, qu'il me regarde. J'ai l'impression qu'il se moque de moi. J'aimerais qu'il soit pris, lui aussi, dans la boue, que ses ailes brillantes deviennent une vieille carcasse et que ses pieds tout propres restent cloués au fond de la tranchée. Ce jour-là, les autres, sans le savoir, marcheront sur ses ailes...

Il commence à marcher en enfonçant ses bottines. Une caméra, prenant des images directes de l'action scénique, enregistre les pieds du

Soldat et les images ainsi captées envahissent les écrans.

Un, un autre et un autre et d'autres encore, dans un long défilé et lui, il restera pris au fond de la tranchée et ses ailes, perdues à jamais, l'empêcheront de s'envoler et il mourra,

Ses pas, comme ses mots, deviennent de plus en plus violents.

l'Ange mourra, comme les autres, et personne ne se souviendra de lui et on l'oubliera au fond de la tranchée.

Changeant radicalement de ton, comme si c'était une évidence.

On oublie tout au fond de la tranchée.

Il reprend sa marche violente. Les bottines marchent sur le visage du Soldat.

Et les autres continueront à marcher sur les ailes inutiles et plus personne ne se souviendra de lui !

Il s'arrête et parle sans violence, comme s'il s'agissait d'une phrase banale.

De toute façon, il y a beaucoup d'anges et personne ne s'en rendra compte s'il en manque un.

Distraitement, il joue avec la baïonnette, puis soudain l'enfonce dans le sol comme s'il tuait

un ennemi dans un combat corps à corps.
Tenant la baïonnette enfoncée.

Il faut s'entraîner. L'entraînement, c'est très important.

Il se tourne brusquement en pointant son fusil.
À l'image de l'Ange.

Ah ! c'est toi.

Il s'assoit.

T'es pas parti ?

L'Ange le regarde sans lui répondre.

Tu veux plus me parler ?

Après un long moment, il continue.

Des fois, j'entends des voix dans ma tête. Je sais pas si elles sont vraies ou si elles sont pas vraies. Ou si elles ne sont que dans ma tête. Surtout la nuit.

Pause. Sur les écrans prédomine l'image multipliée de l'homme jouant du violoncelle, silencieux.

La nuit il y a comme des bruits partout, et après il y a des longs silences, mais pas des silences sans bruit, il y a des bruits partout dans le silence de la nuit, alors quand j'entends des voix ça fait du bien, même si je les connais pas. Le jour, c'est différent, il y a des vrais bruits, il

y a des vraies voix. Le silence est pas pareil. Avant, quand tu ne me parlais pas t'étais là et tu disais rien. Là, je me mets à croire que tu me parles tout le temps. Je crois que je suis fatigué. Tu as passé tant de temps comme une image muette dans le ciel que, depuis que tu m'as parlé pour vrai, je me mets à croire que tu me parles tout le temps. T'es fâché contre moi ? Tes ailes, tu sais, elles sont belles. Moi aussi j'aimerais bien en avoir. Tu me pardonnes ?

L'Ange le regarde, mais ne répond pas.

T'es fâché ? Des fois, j'ai peur, et je dis des choses, comme ça, juste comme ça. Je croyais que les anges savaient pardonner.

Il se lève à moitié, comme pour se rapprocher de l'Ange qui, lui, reste immobile et lointain. Le Soldat, craintif, s'assoit à nouveau.

Oublie ça.

Pour lui.

Ça fait longtemps que j'ai pas entendu de voix. Peut-être qu'il n'y a plus personne. Peut-être qu'ils sont partis, ou peut-être pas.

Il ressort le morceau de tissu et recommence à frotter son fusil en fredonnant des passages de la chanson. L'image de l'Ange disparaît.

Malbrought s'en va en guerre, Malbrought s'en va en guerre, et ne s'en revient plus.

Courte pause.

Il reviendra à Pâques, il reviendra à Pâques

Courte pause.

ou à la Trinité, ou à la Trinité, Malbrought ne revient plus...

Il croit entendre un bruit.

Chhhhhhhut !

Il cherche partout en essayant de découvrir d'où provient le bruit. Le Soldat se cache derrière la caisse de munitions et guette, méfiant. Les voix des ombres se font de plus en plus présentes. Il est clair que quelques personnes se rapprochent du lieu. Le son vient de partout.

LES VOIX DES OMBRES — Là. Eh là !
— Faites attention !
— Ahhhh !
— Par ici, vite, vite, dépêchez-vous.
— Ahhhh !

Quelques lamentations et gémissements se laissent entendre d'un peu partout. Le chaos s'installe progressivement. Sur les murs de la ville sont projetées différentes images représentant des corps nus très peu éclairés, qui, dans l'ombre, se promènent cherchant des blessés.

— Dépêchez-vous ! Ils vont recommencer d'un moment à l'autre.

— Celui-là y a plus rien à faire.
— Dépêchez-vous !
— Ahhhh…
— Par ici, vite, vite !
— Là, là !
— Allez-y, plus vite, plus vite !
— Là.
— Non !
— Mais…
— Non ! On n'a plus le temps, il faut s'en aller. On s'en va. Vite. Attention ! Vite, partons !
— Et lui ? Qu'est-ce qu'on fait de lui ?
— Non. Pas lui !
— Mais…
— Vite. Allons-nous-en !

Les voix et les images s'éloignent jusqu'à disparaître.

LE SOLDAT — Eeeeh ! Attendez. Eeeeeeh ! ! Eeeeeeeeeeeeh ! ! !

Il court vers le lieu où les ombres ont disparu puis il crie, désespéré.

Eeeeeeeeeeeeeeeeeh ! ! !

Il tremble de tout son corps. Il retourne s'asseoir sur la caisse. L'image de l'Ange réapparaît.

Qu'est-ce que tu veux ? Va-t'en ! Va-t'en ! Tu m'as encore laissé seul. Chaque fois c'est pareil. Tu disparais quand il arrive quelque chose et puis tu reviens après, comme si rien ne s'était

61

passé. Tu réapparais avec ton sourire idiot ou ton regard sérieux de prêtre sacré, en haut, comme un... comme une apocalypse ! Mais c'est ici que les choses se passent, et quand elles arrivent, tu disparais et tu me laisses seul.

Menaçant.

Va-t'en ou je tire !

Il pointe son fusil vers l'Ange, qui change de place.

Va-t'en ! La prochaine fois je t'attraperai. J'attraperai tes ailes et je m'arrangerai pour que tu ne puisses plus voler. Je les casserai comme un morceau de bois pourri et je marcherai avec mes bottes sur tes ailes et tu ne pourras plus voler, plus jamais. Tu resteras ici, cloué à la terre comme une statue.

Il rit. L'Ange disparaît. Criant de sa pleine voix.

Cloué à la terre, toute ta vie !

En riant de plus en plus.

Je vais te les casser à coups de bottes tes ailes et tu seras condamné à les traîner dans la boue et elles vont se défaire comme un vieux pantalon plein de trous. Tu vas les traîner tes ailes, pleines de boue, comme on traîne une vieille carcasse pourrie et puis je t'enfermerai dans une cage dorée, oui, une immense cage dorée. Tu chanteras des psaumes et moi je te regarderai dans ta cage dorée. Toi, les ailes pleines de boue, tu chanteras des psaumes pour moi, rien que pour moi et tu seras mon ange du matin.

Il rit aux éclats. Une musique céleste, comme si mille anges chantaient à l'unisson, envahit l'espace. Le Soldat, violent.

Tais-toi !

La musique cesse. L'image de l'Ange réapparaît. Un lourd silence s'installe puis, doucement, l'Ange commence à chanter un psaume, de sa voix aiguë d'ange éternel. Le Soldat reste un instant paralysé et puis, lentement, va s'asseoir sur la caisse.

T'es qui toi ?

L'Ange ne lui répond pas. Il continue son chant, qui devient des plus douloureux.

Qu'est-ce que tu cherches ?

L'Ange chante de plus en plus faiblement, et ne lui répond toujours pas.

Est-ce que t'es mort ?

Des larmes silencieuses glissent lentement sur la joue de l'Ange.

Arrête, s'il te plaît.

L'Ange cesse de chanter. Longue pause.

Tu sais, tantôt c'était pas vrai. Excuse-moi. T'es
fâché avec moi ? S'il te plaît, chante. Chante
pour moi. Quand tu chantes, c'est comme si la
musique n'était qu'à l'intérieur de moi, comme
si tout ça autour n'était qu'un jeu, un rêve, un
gros rêve, mais, la musique... à l'intérieur de
moi... chante, chante pour moi. Chante, s'il te
plaît.

*L'Ange chante à nouveau. Le Soldat s'endort
appuyé sur son fusil. L'Ange et sa voix disparaissent lentement, comme si un nuage les emportait, effaçant figure et voix derrière une transparence. Le Soldat reste seul, endormi. Soudain
les bombardements recommencent avec une
violence inusitée. La fumée des explosions envahit l'espace, elle a un goût âcre. Les explosions
éclatent de partout. Les cris de douleur et les
ordres hâtifs se mêlent aux décharges systématiques de mitrailleuses lourdes. Le Soldat, au
milieu de la fumée, saute d'un lieu à l'autre,
désespéré. Les explosions se font moins fréquentes et s'éloignent jusqu'à disparaître. Pendant un long moment, le vent emporte la fumée
teintée de rouge qui traverse le champ, créant
une image infernale. Puis, le corps du Soldat se
fait plus visible à mesure que la fumée
s'évanouit.*

*L'Ange réapparaît lentement, sortant de la
brume épaisse. Un silence lourd envahit le lieu.
Il regarde le Soldat pendant que la lumière du
jour s'installe progressivement.*

L'IMAGE DE L'ANGE — C'est étrange comme le silence peut occuper la place du son et rester là, longtemps, comme un monde arrêté en plein mouvement...

Il amorce un mouvement dans l'espace, comme un vol, puis il reste immobile, en équilibre sur un seul pied. Le Soldat le regarde sans comprendre.

... prêt à continuer et pourtant, arrêté, seul, avec le mouvement intérieur ou le silence. Pourquoi? Dis-moi, dis-moi pourquoi? Pourquoi est-ce que les choses doivent se passer de cette façon? Je ne comprends pas. Non, je ne comprends pas. Et tu es là. Tu restes là et tu ne t'en vas pas. Pars, s'il te plaît. Pars!

Le Soldat s'assoit.

LE SOLDAT — J'aimerais pas être ici moi.

L'IMAGE DE L'ANGE — Alors, pourquoi tu restes là?

LE SOLDAT — Je ne peux pas m'en aller.
— Reste là! — Reste là!
qu'ils ont dit.
— Reste là!
Et je suis là et j'y reste. C'est tout. Qu'est-ce que tu sais toi!? Je suis là parce que je suis là, un point c'est tout. Et tu es là et tu n'es pas là et ça m'est égal!

L'IMAGE DE L'ANGE — Tu parles tout le temps, tu te fâches, tu cries, mais tu ne te poses même pas de questions à savoir pourquoi les choses sont comme elles sont. Je suis fatigué de t'entendre. Si tu ne veux pas être là, alors pars.

LE SOLDAT — Ne me dis pas ce que je veux. Tu ne sais pas toi non plus. Tu te promènes avec ton air d'ange incrédule, avec ton visage d'ange et ton sourire d'ange comme une grimace et du haut de ta gloire, tu jettes ton regard sur le monde et tu restes là, immobile, en attendant. Et puis tu parles et tu parles et tu parles encore sans rien dire. Tu te donnes des airs comme si tu étais un... un Dieu. Mais tu n'es rien. Ne viens plus me dire ce que je dois faire.

Sur les écrans, derrière le visage de l'Ange, dans un montage chaotique se superposent des images et des fragments d'images tels que Chute des anges rebelles, *tiré des* Très Riches heures du duc de Berry, *ou* Dante le Paradis et l'Enfer, *de Domenico di Michelino.*

L'IMAGE DE L'ANGE — Qu'est-ce que tu sais de moi ? Qu'est-ce que tu sais de moi ? ! ! !

LE SOLDAT — De toi, je ne sais rien. Tout ce que je sais, c'est que quand l'avion de la poste est tombé et que les lettres se promenaient dans le champ, je t'ai cherché, je voulais voir ton visage, tes yeux et la grimace de ta bouche, ton visage d'ange immaculé, ton sourire d'ange idiot. Je voulais te voir quand les corps se tordaient sur le sol, s'enfonçant de plus en plus dans la boue. Je voulais que tu sois là, au milieu de la boue, enfoncé dans la boue. Je voulais voir tes ailes enfoncées comme les lettres dans la boue. Tes ailes dans la boue… et que le vent les emporte entre les morts et que tes ailes restent clouées à la boue comme des croix. Oui, tes ailes, comme des croix à côté des corps, inutiles, comme ces lettres. Tes ailes dans la boue et toi, avec une grimace immense, toi, oui toi, cloué à la boue pour toujours. Tu sais… ? Non, tu ne sais rien. Les anges comme toi ne savent rien du tout, ils ne servent à rien.

L'Ange commence à disparaître.

Reste là ! Maintenant, tu ne peux pas t'en aller !

Accusateur. En criant comme un désespéré.

Tu n'étais pas là. Tu ne voulais pas les voir. Les corps s'enfonçaient dans la boue et tu ne voulais pas les voir. Moi, j'y étais !

Pause.

Va-t'en ! Laisse-moi seul.

Pause. L'Ange disparaît. Sur les écrans restent des images de la fillette et du violoncelliste, puis la fillette disparaît au milieu de la fumée des explosions silencieuses. Lentement, l'image du violoncelliste monte aux nuages.

De toute façon, que tu restes ou que tu t'en ailles, ça m'est égal. Je ne te parlerai plus.

Il sort à nouveau sa cigarette. Il craque une allumette, la regarde se consumer puis range sa cigarette.

Où es-tu ?

Il cherche l'Ange partout.

Où es-tu ?

À lui-même.

Merde !

S'énervant de plus en plus.

Laisse-moi pas tout seul. Reviens !

Les bombardements éclatent au loin. Les balles sifflent au-dessus de sa tête. Le ciel se charge de nuages menaçant et la fillette se promène entre les décombres de la cité vide.

Oh, non, pas encore !

Les explosions se font de plus en plus menaçantes et les balles ricochent autour de lui.

Arrêtez ! Arrêtez ! Arrêtez !

Il essaie de se protéger derrière la boîte de munitions, couvrant sa tête de ses bras.

Arrêtez, merde !

La bataille cesse subitement. Il se lève songeur, étonné et regarde en direction des lignes de front. À l'arrière, les façades semblent plus lugubres et abandonnées que jamais. Sur les écrans, une cohorte de réfugiés fuyant les bombardements traverse l'espace. Ils portent des valises. Un homme tient sur son dos courbé un vieux matelas enroulé. Le groupe disparaît par les trous qui, jadis, étaient des portes. Le Soldat s'assoit, lentement, laisse tomber son fusil, les bras lourds, abandonnés le long du corps. À une fenêtre apparaît la silhouette d'un musicien jouant du violoncelle. L'Ange réapparaît.

L'IMAGE DE L'ANGE — C'est ça, reste là, comme un imbécile, en attendant que le trou devienne complètement noir, que l'obscurité vienne te chercher.

LE SOLDAT — Qu'est-ce que tu sais de l'obscurité, toi ?

L'IMAGE DE L'ANGE — Plus que tu ne l'imagines. La nuit est une longue suite d'absences, un puits au fond duquel la lumière s'évanouit.

Progressivement, l'éclairage scénique se resserre sur le Soldat, comme un faisceau de lumière du paradis, laissant le reste dans une obscurité quasi totale. Une brume fine flotte dans l'espace. L'image de l'Ange change souvent de place sur les écrans et sur les murs de la ville.

LE SOLDAT — Tu es supposé être dans la lumière. Tu es même supposé être la lumière.

L'IMAGE DE L'ANGE — La lumière... Vous autres vous parlez toujours de la lumière comme si c'était quelque chose de facile à comprendre. Mais en réalité, vous ne savez rien de la lumière. Ce n'est qu'une illusion... Vous croyez que l'obscurité se trouve autour de vous et tout à coup vous décidez qu'il y a une lumière et qu'elle viendra vous prendre.

LE SOLDAT — La lumière c'est toi. Si tu ne veux pas être la lumière c'est ton problème, pas le mien. Moi mon problème c'est l'obscurité.

L'IMAGE DE L'ANGE — Tu ne sais pas ce qu'est l'obscurité. L'obscurité c'est la nuit partout. Une nuit si intense qu'elle vient te prendre, t'enfermer, te laisser figé au fond du puits. Elle se promène en dedans de toi et laisse des petits morceaux de nuit, des bouts d'obscurité dans tes entrailles. Et tu prétends savoir ce qu'est l'obscurité de la nuit ?! Au fond de la nuit se cache la plus profonde des noirceurs. Tu parles, mais tu ne sais pas de quoi tu parles.

LE SOLDAT — Tais-toi ! Toi non plus tu ne sais pas de quoi tu parles. Tu ne fais que dire des conneries. La lumière c'est une chose et l'obscurité c'en est une autre. Moi je sais ce que c'est, et je sais que la lumière c'est toi !

L'IMAGE DE L'ANGE — L'obscurité totale de la nuit, vous ne savez pas ce que c'est. Vous ne savez pas ce qu'est l'obscurité jusqu'à la plus profonde existence de la nuit à l'intérieur de moi !

Le Soldat — L'obscurité, l'obscurité, l'obscurité !
T'étais où pendant la nuit ? !

*L'Ange rit aux éclats. L'image de sa bouche
occupe les écrans.*

L'image de l'Ange — Je suis la nuit !

*Le Soldat se lève et commence à marcher d'un
lieu à un autre dans une pénombre bleue.*

Le Soldat — Non, tu n'es pas la nuit ! La nuit, elle
était là et toi tu n'y étais pas. Moi j'y étais. J'étais
là et la nuit était partout. Par là et par là et par
ici et là-bas. Partout les bruits de la nuit. Partout
les mouvements de la nuit. Partout les voix de
la nuit qui disaient

*Il se couche, gesticule, se lève, marche, se
couche à nouveau, comme s'il eut été tous les
personnages qu'il raconte.*

— Vite par ici !
— Non. Là-bas !
— Vite, vite, vite !
— Et lui ?
— Non. Pas lui ! Pas lui !
— Eeeeeeh ! Eeeeeeeeeh ! !
— Vite !
Ils couraient, couraient, couraient, partout
— Ahhhh ! Ahhhh !
et les autres couraient, couraient, couraient
— Vite !
— Non. Pas lui ! Pas lui !

— Eeeeeh ! !...   Eeeeeeeeeeeh ! ! !
Eeeeeeeeeeeeeeeh... ! ! !
et je voyais les ombres de la nuit, j'entendais les
cris, j'entendais les ordres et encore les cris au
milieu des ordres et les ordres au milieu des
cris.

Courte pause.

Ils étaient là-bas, enfoncés dans la boue. Ça
c'est la nuit. Elle était partout autour de moi et
toi tu n'étais pas là !

*La voix de l'Ange résonne comme les notes les
plus basses d'un orgue, elle frappe les murs
comme un marteau, et va jusqu'à s'incruster
dans les murs de la cité moribonde.*

L'IMAGE DE L'ANGE — Je suis la nuit... ! ! ! J'habite
l'obscurité... L'obscurité c'est moi !

LE SOLDAT — Non ! ! ! Tu n'étais pas là. J'étais là et
la nuit était autour de moi tout le temps. Toute
la nuit était autour de moi... sauf toi. Toi, tu n'y
étais pas ! Tu - n'y - étais - pas ! ! !

*Long silence. L'image de l'Ange change de place
plusieurs fois, lentement.*

L'IMAGE DE L'ANGE — Excuse-moi. Il y a des choses
que tu ne peux comprendre. Pour toi la nuit et
la lumière sont différentes et moi je suis là, à
l'endroit où tu ne peux comprendre pourquoi
la lumière n'est pas différente de la nuit.

Pourquoi elles sont la même chose. Je voudrais ne pas être là. Mais je n'ai pas le choix.

LE SOLDAT — Ça va durer longtemps ?

L'IMAGE DE L'ANGE — Quoi ? Ma nuit ?

LE SOLDAT — Non. La nuit ça dure toujours pareil. Je sais combien ça dure la nuit.

L'IMAGE DE L'ANGE — Si tu veux.

LE SOLDAT — La guerre, elle va durer encore longtemps ?

L'IMAGE DE L'ANGE — Oui et non.

LE SOLDAT — Je ne comprends pas. Elle peut durer ou elle peut ne pas durer, mais ça peut pas être les deux choses à la fois.

L'IMAGE DE L'ANGE — Oui. Elle peut durer pour les uns et soudain s'arrêter pour les autres.

LE SOLDAT — Et pour moi ?

Une fois les bombardements terminés, le calme revient. Un avion passe. Tout à coup, une lettre tombe du ciel. Il prend la lettre et la fait tourner entre ses mains, puis, il retourne s'asseoir sur la boîte. L'image de l'Ange transparaît sur un ciel bleu, avant de disparaître.

LA VOIX DE L'ANGE — Elle n'est pas pour toi. Tu n'as pas le droit de la lire.

Le Soldat — Toutes les lettres sont égales et celle-ci est sûrement pour moi.

La voix de l'Ange — Elle n'est pas écrite dans ta langue.

Le Soldat — Tu ne l'as pas lue, comment tu sais si ce n'est pas ma langue?

Elle est sûrement pour moi, sinon elle ne serait pas tombée ici. Laisse-moi seul, c'est privé. Les lettres c'est toujours privé.

Il ne parvient pas à lire un seul mot.

Aide-moi... !

La voix de l'Ange — Elle ne dit rien d'urgent.

Le Soldat — Je suis sûr qu'elle me dit des choses urgentes.

L'image de l'Ange réapparaît très progressivement en se promenant d'un écran à un autre.

L'image de l'Ange — Elle dit la même chose que toutes les lettres, les mêmes phrases qu'on écrit quand on ne sait pas dire les choses importantes. Des phrases qui se promènent d'une lettre à l'autre, d'un silence à l'autre, d'un souvenir à l'oubli éternel.

Le Soldat — J'aimerais tellement en recevoir une à moi !

Sur les écrans commencent à se mixer de petites séquences de films, sans qu'on ne puisse en reconnaître aucun.

L'IMAGE DE L'ANGE — Elle dit qu'il a été seul long-temps, comme les autres. Ils sont tous seuls. Elle dit que ses pieds étaient attachés à la terre sèche. Elle dit qu'il était seul, entouré d'ombres dans la nuit et que ses mains étaient armées de couteaux.

Le Soldat, les yeux fermés, se laisse envahir par sa propre illusion.

LE SOLDAT — Ma lettre dit qu'il est heureux. Elle dit qu'après, il est devenu vieux en regardant l'horizon. Et maintenant il est heureux.

La voix de l'Ange frappe le visage du Soldat, comme un crachat. Les images derrière celle de l'Ange fixent hors focus.

L'IMAGE DE L'ANGE — Elle dit qu'il est tombé le visage dans la boue, une main ouverte et l'autre dans le dos pour toucher le trou, le point rouge de la mort infinie.

LE SOLDAT — Non ! Ma lettre dit qu'il est dans le jardin d'un frère aîné.

L'IMAGE DE L'ANGE — Elle ne dit rien de tout ça. Elle dit des choses sans importance. Et puis, les ennemis sont arrivés quand personne ne les attendait. Ils sont apparus de derrière la lune, les yeux remplis d'une mort subite.

LE SOLDAT — Ce n'est pas vrai ! Ma lettre dit que les oiseaux sont passés vers le nord. Le printemps... le champ devient vert et les oiseaux arrivent du sud et s'en vont vers le nord.

L'IMAGE DE L'ANGE — Non ! Elle dit qu'il est au centre du cratère, à l'endroit exact de la détonation de la grenade. Elle dit qu'il a le dos brisé, la liberté vaincue et les poumons engourdis par autant de superficie trouée.

Le Soldat, de plus en plus angoissé, pleurant presque, serre la lettre contre sa poitrine. Peu à peu commence son délire. Un sourire innocent, teinté d'une nostalgie de film romantique s'installe sur son visage. Il regarde au loin, comme un enfant égaré dans ses pensées. On entend un fond musical. C'est une marche triomphale, comme celles des films épiques américains. Sur le fond de scène est projeté le générique d'un film des années 1950.

LE SOLDAT — Quand les oiseaux reviendront vers le sud, je lui dirai que moi aussi j'existe, je lui dirai que la terre est en dessous de moi et que les oiseaux sont dans le ciel bleu. En cet instant je suis loin, mais je lui dirai que je reviendrai quand ce sera l'heure. Je lui ferai des signes à l'entrée du chemin. Les oiseaux passeront vers le sud et il sera sous les ormes. Je marcherai, ma valise à la main. J'arriverai de loin pour célébrer la gloire. Il viendra lentement, nous marcherons ensemble et nous serons heureux comme des frères qui se retrouvent après long-temps. De l'autre côté du chemin, elle nous regardera, les yeux pleins de larmes heureuses, le ciel sera bleu et les nuages passeront et tout sera comme avant, au temps de la moisson. Tout sera comme avant !

L'IMAGE DE L'ANGE — Il était nu sur la terre en attendant qu'on l'appelle. Il était seul. Les ennemis arrivent toujours quand on s'y attend le moins. Lui aussi il était là, ne s'attendant à rien. Il se souvenait sûrement du jour de son départ, de son lointain amour abandonné, de la fenêtre du train, de la main sur la vitre comme une vitrine épouvantable. Il regardait passer les gens figés sur le quai, s'éloigner lentement et puis plus vite et plus vite encore, jusqu'au néant.

Soudain, le Soldat ouvre les yeux et regarde vers le ciel d'un air défiant.

LE SOLDAT — Il n'est pas mort puisqu'il a écrit la lettre.

L'IMAGE DE L'ANGE — Combien de fois encore devra-t-il mourir pour que tu le comprennes ?

LE SOLDAT — J'irai le chercher.

L'IMAGE DE L'ANGE — C'est un ennemi ! Un ennemi !

LE SOLDAT — Je lui dirai que c'est fini. Qu'il peut retourner chez lui danser sur la colline. Je lui dirai que tout est fini, qu'il peut se reposer, que tout sera comme avant, que tout sera comme avant pour lui aussi, qu'il est libre, que je le laisse partir.

Des larmes coulent sur son visage. Sur les écrans, les films commencent a brûler.

L'IMAGE DE L'ANGE — Tu lui diras qu'il est libre de mourir et rien d'autre !

LE SOLDAT — Je lui dirai ce que je veux.

L'IMAGE DE L'ANGE — Tu ne lui diras rien puisqu'il est mort ! C'est un ennemi et il est déjà mort. La guerre tue toujours au seuil de la Patrie… et il est déjà mort jusqu'à la tombe. Au milieu de la nuit, quelqu'un l'a tué sans le lui demander.

LE SOLDAT — Non ! Il n'est pas mort.

Effrayé.

Il est libre. Il est parti, tout simplement. Un jour, il a laissé les choses derrière lui et puis il est parti. Il a écrit cette lettre tout juste avant de s'en aller.

L'IMAGE DE L'ANGE — Il a écrit cette lettre tout juste avant de disparaître dans la boue. Maintenant il est entouré de morts et de bottines au fond de la tranchée.

LE SOLDAT — C'est pas vrai. Je sais qu'il est parti. Il est retourné chez lui. Il est à la gare au milieu des gens heureux.

L'IMAGE DE L'ANGE — Non !

Le silence se fait lourd. Le Soldat le regarde sans savoir quoi faire. De ses mains, l'Ange se couvre le visage et puis, lentement, les laisse glisser jusqu'à ce qu'elles tombent le long du corps. Une profonde résignation envahit son regard. L'image de la fillette réapparaît, marchant entre les décombres.

Le train est passé. La gare était déserte. Il n'y avait que le vieux cheminot assis sous la cloche rouillée. Et le train est arrivé, il s'est arrêté et puis il est reparti. Elle était là, mais il n'y avait personne d'autre à la gare, sur le quai. Seulement le vieux cheminot sous la cloche rouillée. Et puis, de toute façon, ce n'était qu'un ennemi. Les soldats d'un même côté ne se connaissent pas. Mais ce n'est pas grave. Ceux de l'autre côté, ce sont les ennemis.

Le Soldat — Alors il faut le tuer ?

Courte pause. La fillette disparaît, son image se mélangeant à celle du violoncelliste.

Je vais le tuer ! C'est un ennemi !

L'image de l'Ange — Il est déjà mort.

Le Soldat jette la lettre par terre et la transperce de la pointe de sa baïonnette.

Le Soldat — C'est un ennemi ! Je vais le tuer. J'ai entendu sa voix. Il disait que la victoire marchait à ses côtés.

De plus en plus triomphal et violent. Il transperce la lettre encore et encore.

C'est un ennemi, c'est un ennemi, c'est un ennemi.

L'Ange, parlant en même temps que le Soldat. Sa voix retentit comme un marteau.

L'IMAGE DE L'ANGE — Il est mort !!!

Le Soldat se tait. Il reste figé un instant, comme s'il venait de prendre conscience de la réalité des choses.

Il est mort.

L'Ange essaie de se calmer. Il parle comme pour s'excuser.

Il est mort...

LE SOLDAT — C'est sa faute si le train est passé sans s'arrêter. Quelqu'un lui avait dit de s'en aller, mais il ne voulait pas. Il voulait être un héros et il voulait mourir pour que tous s'en souviennent.

L'IMAGE DE L'ANGE — Il ne voulait rien. Il était là parce qu'il ne savait pas comment ne pas y être et puis, ils sont arrivés par derrière la lune au milieu de la nuit.

LE SOLDAT — Ben, si c'était un ennemi, c'est sa faute. C'était un ennemi.

L'IMAGE DE L'ANGE — Et maintenant il n'est plus rien. Sur le quai de la gare, le vieux cheminot a vu la femme qui l'attendait. Elle était silencieuse. Le train passait chaque jour et elle disparaissait sans un soupir et le vieux cheminot s'endormait à nouveau.

On entend à nouveau la musique du film héroïque.

LE SOLDAT — C'était un ennemi. Il était là, avec les autres, son fusil à la main. S'il vient par ici, je transpercerai son corps de mille baïonnettes. Je lèverai le drapeau, je prendrai la colline en héros solitaire !

Sa vision meurtrière teintée de fantaisie le plonge dans une extase qui frôle le vertige.

Dans un dernier élan il me demandera la vie, mais je le repousserai. Il ouvrira les yeux, grands, pour regarder sa mort et tombera à plat ventre et un bataillon triomphal marchera sur son dos !

Avec une ferveur systématique, il se déchaîne sur la lettre.

L'IMAGE DE L'ANGE — Il ne viendra plus.

Le Soldat s'arrête puis, il va s'asseoir sur la caisse.

On meurt beaucoup ces temps-ci. On se lève sur le jour comme un oiseau qui vit et on tombe, les genoux sur la terre, le dos brisé par la décharge furtive, la clameur anonyme, le poumon sans souffle, le sang... en débandade. On meurt beaucoup ces jours-ci et il ne viendra plus. Tu peux me croire. Il était là et il se demandait quand ça finirait. Il voulait tant s'en aller, être heureux comme avant. Il ne voulait pas mourir. Il voulait seulement que le temps passe vite et retourner chez lui. Chez soi.

Pause.

Tu n'avais pas le droit d'ouvrir sa lettre, mais c'est sans importance. L'importance disparaît quand tout s'arrête subitement, quand il ne reste plus de solutions pour les choses quotidiennes, quand les jours ne sont qu'un long souvenir au bout du compte, quand au milieu de la nuit, au centre de la nuit, il ne reste plus que le non-sens de la mort, plus que le long chemin de la mort infinie. Là-bas, de l'autre côté, au bout de la distance, le cheminot est mort lui aussi. Le quai de la gare désertée ne s'en souvient qu'à peine. La femme, elle, qui sait, peut-être qu'elle se souvient encore.

Le Soldat — Est-ce qu'elle l'attend toujours ?

L'image de l'Ange — Non, elle est partie.

Le Soldat — Où ?

L'IMAGE DE L'ANGE — Loin, très loin. Le dernier train est passé et puis, elle est partie pour toujours.

LE SOLDAT — Pourquoi ? Pourquoi elle ne l'attend plus ?

L'IMAGE DE L'ANGE — Elle était là. Chaque matin elle était là. Le premier train passait et le deuxième et un autre et d'autres encore et elle était toujours là, debout sur le quai. Les trains s'arrêtaient puis continuaient et elle attendait toujours. Quand la nuit arrivait elle s'en allait lentement, seule, et disparaissait dans les ombres de la nuit, comme les morts.

LE SOLDAT — Et le cheminot, lui ?

L'IMAGE DE L'ANGE — Lui, il était toujours là.

LE SOLDAT — Mais il est mort.

L'IMAGE DE L'ANGE — Oui. Maintenant il est mort et les trains ne se sont plus arrêtés.

LE SOLDAT — Est-ce qu'elle reviendra un jour ?

L'IMAGE DE L'ANGE — Non. Elle ne reviendra plus. Plus jamais.

LE SOLDAT — Et lui ?

L'IMAGE DE L'ANGE — Lui non plus. Il est resté au fond de la tranchée. On meurt beaucoup ces temps-ci et il ne reviendra plus.

Pause. La nuit arrive.

Ta lettre ne sert plus à rien.

LE SOLDAT — Ma lettre !

Il la cherche partout.

Ma lettre, où est-ce qu'elle est ma lettre ? La nuit on ne peut pas lire les lettres.

L'IMAGE DE L'ANGE — C'est comme ça.

LE SOLDAT — À quoi servent les lettres pendant la nuit, si on ne peut pas les lire. La nuit on est plus seul que le jour. Si on pouvait lire les lettres pendant la nuit on ne serait pas seul, mais si on les lit, ils nous voient. La nuit, les lettres, ça ne sert à rien... Peut-être que c'est pour ça que je ne reçois pas de lettres, je ne commencerai pas à m'envoyer des lettres moi-même !?

L'IMAGE DE L'ANGE — À quoi ça te servirait ? Les lettres servent parce que quelqu'un pense à nous.

Les bombardements recommencent.

LE SOLDAT — Reste !
Dis-moi quelque chose. Parle ! Dis-moi quelque chose ! Merde ! Reste pas là comme une statue de sel, dis-moi quelque chose !!!

Les bombes commencent à éclater tout autour. L'Ange disparaît. L'espace commence à se remplir de fumée. Le Soldat crie, désespéré.

Reviens, ne me laisse pas tout seul. Merde de merde d'ange de merde ! ! !

Vers le lieu où éclatent les bombes.

Et vous, qu'est-ce que vous me voulez ?

Une bombe éclate tout près. Il crie vers le lieu où l'Ange a disparu.

Reviens, ne me laisse pas tout seul, reviens…

Une épaisse fumée rouge envahit les lieux. On ne voit plus que la fumée. Les explosions cessent et lentement la brise emporte la fumée. La voix de l'Ange se laisse entendre, doucement. Il chante. Quand la fumée disparaît, l'Ange est accroupi sur la caisse de munitions. Il porte comme seul habit une sorte de couche, comme celle d'un Christ sur la croix. L'image du Soldat apparaît sur les écrans.

Où es-tu ? Tu m'as encore laissé tout seul. Si je pouvais je te prendrais avec mes mains, je t'étranglerais…

En faisant le geste, il s'emporte et alors l'impossible devient réalité.

… et je serrerai si fort et j'enfoncerai ton corps dans la boue et à ce moment-là, tu resteras dans la nuit, au fond de la boue pour toujours.

Pause. Il regarde les trous des fenêtres, cherchant l'Ange avec insistance.

Tu m'as trahi. Tu m'as encore laissé tout seul et tu t'es sauvé comme un oiseau de malheur qui s'enfuit quand la vie est là, en attendant quelque part que la mort arrive, comme un oiseau noir qui ne revient que lorsque la mort est là. Tu es là, dans l'obscurité comme un chien affamé qui attend la mort des autres. Tu es parti et tu m'as encore laissé seul.

L'Ange est accroupi à côté de la caisse.

À partir de ce moment, et jusqu'à la fin de la représentation, la voix de l'Ange sera enregistrée. L'acteur-Ange dira ces textes par-dessus la voix enregistrée. Il peut s'agir de sa propre voix ou bien d'une autre voix, de préférence une voix avec un accent étranger.

L'ANGE — Non. Je ne suis pas parti. Je me suis seulement rapproché un peu.

La nuit s'accapare du lieu. Le Soldat ne bouge pas. On entend une note de violoncelle qui s'étire douloureusement, qui pénètre chaque interstice, qui habite chaque recoin, qui s'accroche aux décombres comme une longue litanie qui pleure la mort avant qu'elle ne survienne. La fillette traverse l'espace. C'est elle qui joue du violon. Dans une fenêtre se démarque peu à peu la silhouette d'un homme assis jouant du violoncelle. La note du premier violon s'étire pour se transformer en un quatuor. Les images des musiciens, autres que celles de la fillette et du violoncelliste, ne sont pas très claires.

L'IMAGE DU SOLDAT — Quand tu pars, est-ce que tu me laisses seul ?

Pourquoi tu pars ? Est-ce que c'est très loin, là d'où tu viens ? Est-ce que tu voles très haut ? Autrefois, j'étais assis en bas sur la boîte et je regardais le ciel. Au début il n'y avait personne d'autre. On aurait dit que tout était fini, tellement rien ne bougeait. Pas de voix, pas d'ombres, pas d'ordres. Rien. Rien que le ciel bleu, comme dans les films. Je l'ai tellement regardé fort que j'avais mal aux yeux. Il y avait même pas de nuages. Rien. Rien du tout. Et tout à coup j'étais ici en haut et les choses, en bas, étaient toutes petites. Quand on est en haut, les balles sont là pour vrai. C'est pour ça que j'aime être ici en haut. Toi non plus t'aimes pas quand ça commence à tirer de tous les côtés et alors tu pars et tu ne reviens que quand c'est fini. C'est ça, hein ?

L'ANGE — Peut-être. Je ne sais pas.

L'IMAGE DU SOLDAT — Mais oui tu sais. Quand les explosions commencent et que les avions passent tout près comme s'ils allaient te couper la tête, t'es pas là. Et si t'es pas là, ça veut dire que t'es parti. Et si t'es parti, t'es ici en haut avec d'autres anges comme toi et vous nous regardez. Est-ce que nous sommes tout petits en bas quand vous nous regardez d'en haut ?

L'ANGE — Quand je ne suis pas ici, je ne suis nulle part. Je ne suis jamais là-haut.

L'IMAGE DU SOLDAT — Toi aussi on te donne des ordres ? Quand tu t'en vas, c'est parce qu'on te dit de t'en aller et de me laisser tout seul ?

L'ANGE — Qui ?

L'IMAGE DU SOLDAT — Ceux qui te donnent des ordres. Il y a toujours quelqu'un pour donner des ordres.

L'ANGE — Je ne sais pas.

L'IMAGE DU SOLDAT — Est-ce que tu vois les gens petits, en bas, toi aussi ? Ce que j'aime ici en haut c'est qu'il n'y a pas de choses. L'espace n'est pas rempli. On peut tout simplement vivre, sans avoir besoin de rien. On n'a même pas faim et on dirait que tout est rond et comme il n'y a pas de choses, on peut voler partout. Des fois, c'est difficile de retourner en bas.

L'ANGE — Partir, rester... La vie est comme un long retour vers nulle part...

L'IMAGE DU SOLDAT — En haut, il n'y a que l'espace rond. Quand on vole, on est libre. Ici en haut, c'est plaisant d'être seul et je sais que c'est moi, mais je suis loin de moi. Tu comprends ?

L'ANGE — Non, je ne comprends pas.

L'IMAGE DU SOLDAT — Ben... c'est facile. Je suis moi mais je suis loin de moi puisque que je suis ici, en haut. En haut, on n'est jamais seul. En bas, quand on est seul, c'est qu'il n'y a personne près de nous.

L'Ange — Nous passons par la vie comme un souffle violent, comme un bouleversement. Rien ne reste !

L'image du Soldat — Moi je suis là.

L'Ange — Pour combien de temps ? Le monde est la seule réalité. Tu m'entends ? Après, il n'y a qu'un grand vide, un immense trou noir où les étoiles s'enfoncent jusqu'au néant de tous les temps !

L'image du Soldat — Arrête ! Quand je suis ici en haut, je suis libre !

L'Ange — Oui, mais en réalité tu n'es pas là-haut.

L'image du Soldat — Quand je suis ici, je suis comme toi. Est-ce que tu viens souvent ici en haut ?

L'Ange — Je ne suis jamais allé là-haut. Je ne sais pas voler.

L'image du Soldat — Pourquoi tu te moques de moi ?

L'Ange — Je ne me moque pas. Je ne sais pas voler.

L'image du Soldat — C'est pas vrai. Des fois t'es là et des fois t'es pas là. Alors, t'es ici en haut et j'aime pas qu'on me prenne pour un idiot.

L'Ange — Parfois je suis ici, d'autres fois je suis nulle part.

L'image du Soldat — Maintenant, t'es là.

L'Ange — Oui.

L'image du Soldat — Et quand t'es pas là, t'es en haut.

L'Ange — Non. Je suis ici ou je suis nulle part.

L'image du Soldat — T'es un ange et les anges comme toi sont toujours partout.

L'Ange — Tu crois vraiment ça ?

L'image du Soldat — Mais oui, c'est comme ça.

L'Ange — Peut-être que non. En réalité, tu es ici et moi je ne suis plus.

L'image du Soldat — Je ne suis pas toujours ici moi. Des fois je suis là-bas. Ici, en haut, j'ai pas peur.

L'Ange — Comment fais-tu pour aller là-haut ?

L'image du Soldat — C'est simple, je vole. Je ferme les yeux et tout devient petit, en bas, et je vole et je suis en haut.

L'Ange — Apprends-moi à voler.

L'image du Soldat — Ben... t'es un ange... et les anges, ils savent voler, non ? !

L'ANGE — Les anges ne savent rien. Apprends-moi à voler !

L'IMAGE DU SOLDAT — Heu… Ben… Heu… T'es là, et après tu voles et t'es en haut.

L'ANGE — Comment ?

L'IMAGE DU SOLDAT — Heu… Ben… Heu… Avec tes ailes ! Tu voles et t'es en haut !

L'ANGE — Continue !

Sur les écrans, l'image du Soldat transparaît, créant un effet parodique, avec des images du film Jonathan Livingston Goéland. *Le Soldat, les bras ouverts, le vent dans la figure, plane au milieu du ciel.*

L'IMAGE DU SOLDAT — J'ai des grandes ailes. Elles bougent comme si un vent tout-puissant les portait et mon corps se fait de plus en plus léger.

L'ANGE — Continue, ne t'arrête pas !

L'IMAGE DU SOLDAT — Des grandes ailes blanches qui frappent le vent et à chaque coup on s'éloigne du sol. Il faut que le rythme soit toujours le même, que les deux ailes s'accompagnent comme dans un miroir bleu. Des ailes blanches dans un miroir bleu. Tes bras, ouverts comme une croix, et le vent, comme un chant sur ton visage.

L'ANGE — Montre-moi !

L'IMAGE DU SOLDAT — Ouvre les bras !

L'ANGE — Comme ça ?

L'IMAGE DU SOLDAT — Oui, c'est ça ! Comme ça !
Tout est petit. Il n'y a rien. Rien que l'espace rond
et la lumière autour de mes ailes. Et les bras
ouverts comme une croix. Et le vent comme un
chant céleste sur mon visage.

*Un coup de feu retentit dans le champ. Le bruit
de la détonation augmente progressivement
dans un écho étourdissant. Le Soldat ouvre les
yeux et soudain, croise les bras sur sa poitrine.
Il tremble de tout son corps. Sa respiration s'est
arrêtée dans un souffle interminable, la bouche
ouverte et l'expression figée.*

Non... !

*Le bruit de la détonation disparaît dans le
temps.*

Non... Ce n'est pas celle-là.

*Soudain, il tombe à genoux. Puis, son corps
s'affale. Son visage s'enfonce dans la boue.
Dans un silence ultime son corps s'affaisse. Une
brise légère souffle sur le champ. L'Ange fait un
geste, comme pour le toucher, mais il s'arrête,
déconcerté.*

L'Ange — Lève-toi. Arrête de jouer. Lève-toi. Fais-moi pas ça, lève-toi ! Moi aussi... les balles au seuil de la Patrie. Souviens-toi. Il faut que tu reviennes. Ils te feront des signes à l'entrée du chemin. Tu marcheras, ta valise à la main... Tu arriveras de loin pour célébrer la gloire. Le ciel deviendra bleu et les nuages passeront et tout sera comme avant, au temps de la moisson. Tout sera comme avant. Lève-toi... lève-toi...

Suppliant.

Les balles viennent de si loin. La mort reste dans le silence des autres pour longtemps et les lettres restent là, à côté des corps, mais pas toi, pas toi... Je t'avais dit que la mort était comme une tache obscure qui s'approche lentement. Je te l'avais dit, mais tu ne voulais pas m'écouter, tu ne voulais pas. Lève-toi, tu as dit que ce n'était pas celle-là, tu l'as dit, tu l'as dit !

De plus en plus angoissé, dépassé par la situation, presque en larmes.

Tu as dit que ce n'était pas... que cette balle n'était pas... que ce n'était pas celle-là... Tu l'as dit !...Tu l'as dit !

Il reste un instant figé, en attendant une réponse. Il est à l'affût du moindre mouvement, d'un signe qui puisse lui dire que la vie ne s'est pas complètement évanouie. Pas encore. Et puis, égaré, il commence à tourner autour de la caisse à munitions. Après de longues secondes

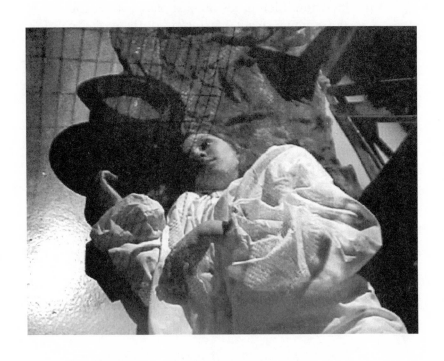

pendant lesquelles la vie tout entière semble s'être arrêtée, l'Ange essaie de chanter, mais il n'arrive plus à composer la moindre mélodie. Sa voix se brise à tout moment.

Fais-moi pas ça… fais-moi pas ça…

Les bombardements recommencent avec une violence inouïe. On entend toujours la voix de l'Ange qui essaie de chanter un psaume. La fumée rouge envahit l'espace un court instant. Quand la fumée se dissipe, l'Ange n'est plus. Seul le vent souffle, blessant le silence. Le corps du Soldat gît étendu sur la boîte à munitions. La nuit arrive lentement. Sur les écrans, l'image figée de la fillette et du violoncelliste disparaît lentement. Le vent cesse. Des lettres tombent du ciel, sur le Soldat mort.

FIN

ATELIER DE RECHERCHE THÉÂTRALE
TRAVAIL EN LABORATOIRE
DE MISE EN SCÈNE : *LE VOL DES ANGES*

Un Soldat dans la tranchée, au front de bataille et, dans l'horizon apocalyptique, l'Ange. Peut-être que tous deux peuvent construire un espace d'attente ou de rédemption.

Une dramaturgie imbriquée dans l'espace de l'expressionnisme, où le personnage met en question la relation entre monologue et soliloque, entre la disparition progressive des règles relationnelles et la voix qui se consume elle-même. Voilà le domaine dans lequel s'inscrit le travail de Luis Thenon dans cette mise en scène.

Le montage est proposé sur deux plans. En premier lieu, il est proposé en tant qu'essai dramaturgique, c'est-à-dire que le mot est livré à sa propre résonance, à sa propre matérialité, dans le même sens que Valere Novarina pourrait également accorder à l'écriture. En deuxième lieu, il s'agit d'un travail de recherche qui porte sur l'intertextualité de l'image, mise en jeu en termes dramatiques, c'est-à-dire dans les termes d'une anecdote. L'image de l'interprète sur la scène est capturée par l'image virtuelle et l'image virtuelle est capturée par l'interprète : le Soldat construit l'Ange qui à son tour construit le Soldat. La relation s'épuise dans la fable.

Thenon construit son artefact scénique dans la recherche de la « métamorphose intérieure » qui caractérise le personnage expressionniste. L'essai scénographique possède cette même orientation : le monde se construit dans l'univers des limites, cherchant ainsi à configurer un sens inhabituel, surprenant. Un sens d'agonie, loin de la nature, dans l'univers de la déformation et d'un premier degré d'abstraction. Toutefois, le metteur en scène ne rompt pas avec l'espace centrifuge. Nous en avons d'ailleurs discuté en profondeur au cours des répétitions. À mon avis, cet espace au sein duquel l'acteur développe sa métaphore doit s'accorder à la désarticulation de l'univers scénographique, il doit être disséminé. Pour Thenon, en revanche, son personnage, le Soldat, n'a pas besoin que le champ scénique soit définitivement transformé. Son héros, anonyme et universel, requiert une *terra incognita* où donner une corporalité à l'Ange. Alors, celui qui est ainsi engendré sera façonné dans un nouvel espace qui naît de l'autre, infiniment vieux, oisif, vicié, où l'hécatombe en suit une autre et ainsi de suite. Un homme, soldat et ange, qui depuis un recoin de sa vie peut finalement se poser la plus dépouillée et la plus dénuée des questions essentielles. Il s'agit d'une question à laquelle répondra, de façon invétérée, le silence.

Afin d'explorer ce questionnement, Thenon a décidé de premièrement développer un texte scénique, perforé par la mise en scène, écrit selon un répertoire de « non-dits » verbaux. Il opte pour une orientation vers un dialogue, possible, latent, et traversé par une série de monologues. Ceci fut la première articulation et c'est ce que nous verrons par le processus lui-même : un texte qui, lorsque le spectacle sera finalement présenté pour la première fois, sera parvenu à être à nouveau le texte péremptoire.

En ce qui concerne l'étape actuelle du travail, le metteur en scène se propose d'insérer dans le développement scénique une écriture « musicale » au sein de laquelle le comédien compromettra sa corporalité. Il s'agit précisément d'une crise de la codification du champ de l'expression réaliste. Cette *écriture musicale* procède alors par un découpage minimaliste des possibilités de jeu ; possibilités qui sont formulées, selon un répertoire précis de schémas corporels de base, par l'acteur Simon Drouin, un compositeur et interprète très minutieux. La composition corporelle fait appel à une rupture positionnelle, en regard d'une dynamique de la tension exploratoire qui sera réaliste. C'est ce que l'on recherche sur la scène, mais seulement en tant que point de départ et en tant que « mise en crise ». Ceci concerne le travail proposé pour le personnage de l'Ange, mais aussi, plus globalement, l'essai d'une gestualité symbolique. Il s'agit en fait d'une gestualité impliquée dans un code corporel mélodique, transitif et d'un rythme lent et sculptural qui rompt avec la composition expressionniste du Soldat.

En ce sens et après ces brèves considérations, il est intéressant de rappeler la mise en scène de l'Atelier de Recherche Théâtrale à laquelle j'ai eu l'occasion d'assister lors du Festival de Liège de 1997 (*Une livre de chair* d'Agustin Cuzzani). Par une grande structure spectaculaire, Thenon révéla, encore une fois à cette occasion, son accord avec le jeu expressionniste : la construction générale se resserrait sur un assemblage géométral des lignes de tension dramatique qui faisait appel, en ce qui concerne ce que l'on définit comme champ précis d'un essai théâtrologique, à trois plans de montage :

SUR LE PLAN DU TEXTE :
– transcription positionnelle des séquences, en les décentralisant de l'illustration narrative sur le plan de l'espace, au bénéfice d'une rythmique de jeu, traduite simultanément par la gestualité et l'oralité ;
– nouvelle mise en situation de l'univers féminin. Elle a été proposée en tant que nouvelle configuration de rôles ;
– technique de collage appliquée à l'écriture de l'un des monologues.

SUR LE PLAN DE LA CONCEPTION DE L'ESPACE :
– géométrisation de l'espace dans le domaine de la perspective ;
– recherche d'une rupture de la linéarité figurative ;

- utilisation prédicative de l'éclairage recommandée. Une utilisation de lumière en contraste est proposée ;
- l'atmosphère doit être présentée comme représentative de l'intériorité du personnage.

SUR LE PLAN DU JEU DES ACTEURS :

- formulation d'une ligne d'abstraction générale pour le système d'actions ;
- formulation d'une dynamique chorale corporelle : les comédiens, en groupe, élaborent des scènes, en alternance (un essai « révisionniste » très intéressant du théâtre-ballet, peu vu sur la scène de ces dernières années) ;
- conception du personnage plurielle à partir d'une gestualité indicielle. Cette même conception est explorée et poussée à la limite de la relation symétrie/asymétrie ;
- ponctuation exacerbée des monologues.

Ces trois plans d'approche sont présents également lors des répétitions de cette mise en scène. Thenon ne récapitule pas. Il travaille avec du nouveau matériel et il le fait en discutant de la condition scénique de l'image. Le metteur en scène cherche à mettre en conflit, tout comme nous le disions, le récit d'une image qui est construite et celui d'une autre qui est projetée. Nous devons alors nous demander, à ce stade du travail, si la recherche s'oriente pour générer un cadre monumental qui puisse synthétiser les deux récits ou, peut-être, qui puisse les faire bifurquer, tout comme des mégarécits, identifiés par l'absence de représentation du réel. Ceci consiste en la formulation d'un registre en parallèle avec le réel. Le réel-quotidien, dit le metteur en scène, réduit une esthétique, la phagocyte, la neutralise, la consomme, de telle sorte que l'univers théâtral est l'endroit où l'on circonscrit, où l'on dénonce, mais aussi où l'on réfracte un angle du monde. La scène n'est pas « témoin du monde » ; elle est le monde, extrapolé, hors de soi, mais elle *est* le monde. Le théâtre redevient représentation par une voie négative et c'est là qu'il affirme son devenir, son identité, *son acte de conscience,* pour parler en termes de phénoménologie husserlienne.

Ceci a lieu, par exemple, lors de la conception de l'espace de *Tambours dans la nuit,* alors que Ludwig Sievert construit, pour la première représentation de 1923, un décor fait de murs sombres, désolés, qu'il définit comme des « symboles du chaos et de la révolution, dans une atmosphère chargée de tension et d'énergie, là où on ne peut pas imaginer un début ni une fin » ; nous dirons que ce concept crépusculaire est, malgré tout, positif. Il répond à un univers de la représentation reconnaissable, « référenciable », par le Brecht des débuts.

L'essai de Thenon, celui de notre génération peut-être, car un siècle s'est écoulé depuis lors, « met à l'essai » cet univers, le discute, le remet en question. Nous verrons également si, lors de la réalisation du travail, il le métaphorise ou le déréalise.

Les essais de mise en scène, à cette étape du montage et dans ce domaine précis du travail, sont orientés afin de développer un jeu technologique sur des supports d'images en projection. Ce qu'il reste à travailler, tel un continent récemment découvert, est le champ ou le domaine spécifiquement sonore. Je crois que ce qu'il y a d'acquis jusqu'à présent n'est utile qu'en tant qu'auxiliaire, qu'en tant qu'esquisse de la construction de l'objet scénique. Ce qu'il reste à faire, comme nous le verrons dans les étapes successives, est d'explorer une résonance et une atmosphère sonore qui, comme pour le plan de l'image, génèrent une discursivité sonore entre le monde expressionniste et l'horizon de l'expérience technologique, bien loin du champ naturaliste.

Cette approche technologique, qui permettra ou non une ouverture sur un espace interdisciplinaire lors de la poursuite du travail, confronte un récit qui inclut trois modes d'écriture. Ces modes n'ont pas une relation de subordination, mais bien de contrastes. Il s'agit des modes suivants : un discours documentaire (découpage métonymique de scènes de la Première Guerre mondiale), un discours métaphorique (qui évoque certainement la cinématographie allemande des années 1920) et, finalement, un discours scénographique utilisé pour la mise en scène. Ces modes ne sont pas inscrits sur des plans généraux, mais plutôt sur des plans focalisés selon des prises de plans de scène assurés de façon contiguë. Ces modes sont disposés par Thenon en séquences parallèles, qui ne se rencontrent pas, mais qui cohabitent en tant que récits d'images autonomes : *imago mundi, dixit*

Thenon. La narratologie théâtrale se standardise dans la construction de son récit en un ensemble dynamique, contingent, instauré entre le montage, les personnages et le spectateur.

Le spectateur alors établira la synthèse, possiblement à partir d'un seul élément utilisé dans la mise en scène : une lettre. Le Soldat reçoit une lettre de l'Ange, l'Ange reçoit une lettre du Soldat, mais Thenon affirme que non, qu'en fait cette épître est reçue par les deux. Pour ma part, j'insiste sur la question suivante : qu'est-ce qu'ils se disent l'un à l'autre ?, qu'est-ce qu'ils se disent qu'ils ne se soient pas déjà dit, qu'ils ne puissent pas se dire en tant que compagnons d'armes sur le champ de l'extermination ?

La mémoire de l'extermination est, précisément, l'un des thèmes présent dans cette esquisse du spectacle que nous analysons. Cette mémoire est individuelle, mais est-elle toujours présente dans le domaine public ? Ou est-elle constamment escamotée de ce domaine par notre société qui procède de façon systématique afin de réaliser une lobotomie de notre univers privé ? Ceci est peut-être la question à laquelle nous faisions référence plus tôt. Peut-être que l'Ange le sait et Thenon l'amène alors à l'histoire théâtrale qui, puisqu'elle est éphémère, pourra le dire à chaque spectateur. Ce qui équivaut à le dire à la conscience de tous et chacun, dans les ombres de la salle.

Alejandro Finzi
Mars 2001

LE VOL DES ANGES

SIX VARIATIONS DRAMATIQUES
SUR UN MÊME THÈME

PERSONNAGES

LE SOLDAT

Le Soldat est un personnage sorti d'un univers dans lequel la réalité se confond avec son double, créant ainsi un niveau parodique. Il est par moments à la limite du ridicule, mais il ne tombe jamais dans la farce, la caricature ou le clownerie. Son corps mince et grand semble un peu disproportionné ; ses mouvements sont agiles mais sans grâce. En réalité, son corps semble être celui d'un grand enfant en croissance rapide, qui manque de synchronisme. Son visage garde l'expression d'une incrédulité qui se métamorphose en franche colère, puis il redevient, les yeux grands ouverts, celui d'un enfant étonné. Il est minutieux dans le traitement des objets, il est même obsessif. Plier une lettre sera une tâche qui lui demandera un effort de concentration supérieur. Sa relation avec l'Ange est empreinte d'une continuelle contradiction qui le conduit d'une colère totale à une tendresse et à une admiration soudaines. Cela semble parfois déconcerter l'Ange. Son univers est rempli d'images et d'histoires propres au cinéma américain triomphaliste et au romantisme facile, primaire, des années 1940 et 1950. Il nie l'évidence avec un entêtement enfantin, puis il défend les causes les plus absurdes et soutient les idées les plus impossibles avec la force que lui donne sa conviction guerrière.

L'ANGE

À l'opposé du Soldat, l'Ange est une étrange créature aux allures apocalyptiques, sorti d'une gravure de manuel de préceptes religieux. Il a le même corps que le Soldat. Il porte une bottine sans lacet et un pied nu. Son corps est couvert d'une sorte de tunique blanche mal coupée, sale et déchirée. Vers la fin, il enlèvera la tunique et il sera habillé d'une seule couche, comme le Christ sur la croix. Ses yeux sont durs et petits au fond de ses cavités. Avec le Soldat, il se comporte avec une condescendance évidente, mais, vers la fin de la pièce, sa force s'est transformée en faiblesse, sa dureté en lamentations, sa cruauté en désespoir.

Il habite un univers contradictoire et sans limites qui de toute évidence est le lieu de la mort.

Sur terre, il sera comme une image bidimensionnelle suivant un chemin de croix comme ceux dessinés dans les vitraux anciens.

LE LIEU

L'espace scénique est délimité au fond par un *cyclorama* qui laisse les objets comme s'ils flottaient dans un lieu mi-réel, mi-fantastique. Devant le *cyclorama*, comme des monolithes en veille, se dressent les hautes façades à moitié détruites de quelques édifices. Elles laissent entrevoir des morceaux de vie d'un temps où les cycles de la moisson nommaient la couleur des champs. Il est clair que la ville a été bombardée. Les murs, jadis blancs, sont aujourd'hui un souvenir noirci de ce qui a déjà été le carré d'une cité prospère et moderne. Derrière les fenêtres, ouvertes sous la force des explosions, on aperçoit des objets quotidiens, comme des silhouettes obscures découpées dans un ciel bleu.

Des poteaux de téléphone ou d'électricité se dressent en attendant que de nouvelles explosions viennent les abattre. D'autres restent couchés contre les murs ou s'appuient à moitié, soutenus par les fils qui s'entrecroisent dans un équilibre fragile. Ici et là, devant les murs, quelques monticules de briques et de décombres.

La porte d'entrée de l'édifice, qui fait angle du côté cour de la scène, est à moitié bloquée par ces décombres. Des gros montants de bois se dressent en angle, barrant le chemin. Dans l'édifice du fond, il est possible de voir des fissures qui indiquent une chute imminente. Sur la façade de l'édifice faisant angle côté jardin, des balles de mitrailleuses lourdes ont laissé leur marque de destruction et de mort.

Au centre de l'espace, il y a un grand monticule de terre boueuse au centre duquel se trouve une caisse de munitions.

Une brume épaisse couvre le lieu. Tout semble arrêté de façon intemporelle, comme dans une image fantasmagorique. Une note de violon soutenue semble pleurer sa solitude pendant qu'une brise légère commence à souffler, donnant au lieu une atmosphère encore plus triste et abandonnée.

Très lentement, une lumière en douche éclaire la caisse de munitions sur laquelle est assis le Soldat, qui a le regard fixé à l'horizon.

LES VOIX

Le Soldat — Ils ont dit

— Reste là !

— Reste là !

qu'ils ont dit.

— Reste là !

Depuis, j'suis là, et j'y reste. C'est long.

Il commence à siffler pendant qu'il frappe machinalement sur son fusil, suivant un certain rythme.

Il sort une cigarette, craque une allumette. Il regarde la flamme se consumer puis range la cigarette qu'il n'a pas allumée.

Aujourd'hui j'ai entendu des voix qui se parlaient. J'ai pas compris, mais je les ai entendues.

Il reste un instant absent, les yeux dans le vide, comme s'il voulait écouter quelque chose qui le ferait se sentir moins seul, moins égaré au milieu des champs de bataille.

Ils étaient des deux côtés de la ligne, et ils se parlaient.

Il se lève lentement, avance de quelques pas et trace une ligne dans la boue à l'aide de sa baïonnette. Il signale un point précis en enfonçant la baïonnette dans la boue, d'un côté de la ligne.

Là !

Il répète le même geste de l'autre côté de la ligne.

Et là !

Il cherche un autre lieu où enfoncer sa baïonnette ; il se décide enfin et l'enfonce tout près du point qu'il avait signalé juste avant.

...ou peut-être là.

Il scrute les alentours.

— Tire pas !
qu'il disait,
— Tire pas !
et l'autre ne disait rien.
— Tire pas ! Tu sais, il faut que j'aille là parce que... j'ai mal au ventre. C'est de la merde qu'on mange de ce côté-ci, ah ! ah ! ah.. !
Et l'autre, rien.

Il reste un instant muet, absorbé dans ses pensées, puis il continue sa narration avec entrain.

— Au moins vous mangez !

Il laisse sa voix se perdre au loin, comme s'il se trouvait au milieu de l'action.

C'est ça qu'il lui a répondu.
— Tire pas !
et l'autre,
— Vas-y ! Mais si je te vois je tire.
Et il riait très fort. Il trouvait ça drôle.

Il commence à rire.

— Tire pas !
et l'autre,
— Vas-y ! mais je tire.
Et il riait.

Le rire se fait de plus en plus sonore, incontrôlé. Un rire très nerveux qui se perd progressivement sous le bruit des bombes. La rumeur du bombardement s'éloigne. Pendant ce temps, le Soldat reste presque immobile, le regard perdu à l'horizon.

Après, l'un parlait, l'autre pas.

Il se promène, inquiet, ne sachant que faire. Il retourne à l'emplacement du début, reprend sa position initiale, puis tape nerveusement sur son fusil, faisant un effort évident pour contenir sa violence.

— C'est pas moi ! C'est pas moi !
qu'il disait.

Pause.

— J'ai pas tiré !
et l'autre, rien.
— Va chier !

Il pleure en silence. Son regard se promène dans l'espace autour de lui, comme s'il voulait se distraire, ne pas y penser.

— Reste là !
qu'ils ont dit.

Les bombardements recommencent. Il court dans l'espace et tout à coup, se faisant petit, il remet son casque et reste sans bouger. Au bout d'un moment, les bombardements cessent. Il sort un morceau de tissu et commence à frotter son fusil. Presque en même temps, il se met à chanter.

Malbrought s'en va en guerre, mironton, mironton, mirontaine. Malbrought s'en va en guerre, et ne s'en revient plus. Il reviendra à Pâques mironton, mironton, mirontaine, il reviendra à Pâques ou à la Trinité, ou à la Trinité. La Trinité se passe, mironton, mironton, mirontaine, la Trinité se passe, Malbrought ne revient plus.

Sans s'en rendre compte, il chante de plus en plus fort. Quand il s'aperçoit qu'il est presque en train de crier, il sourit, gêné, et continue de chanter très bas.

La Trinité se passe, mironton, mironton, mirontaine, la Trinité se passe, Malbrought ne revient plus...

Il frotte toujours son fusil. Tout à coup il se met debout, très inquiet, lève son fusil, charge une balle et regarde tout autour.

Qui est là ?

Il répète encore plus fort, à la fois avec violence et avec peur.

Répondez... qui est là ? !

Il reste un instant immobile puis retourne s'asseoir.

J'aime pas quand on n'y voit rien.
Il disait qu'il ne voulait pas mourir. L'autre non plus. J'ai tout entendu mais je pouvais rien faire. Il fallait que je reste là.
— Reste là !
qu'ils ont dit. Alors je suis là, et j'attends. Ça fait longtemps. Les voix aussi ça fait longtemps que je les entends plus. Peut-être qu'il n'y a plus personne. Je crois qu'ils ne parlent plus parce qu'ils sont partis. Ou peut-être qu'ils sont encore là.

Il regarde l'horizon. L'ennui remplit ses yeux comme une lourde tache qui assombrit ses pensées.

— Chut... ! Les voix !

Il court s'asseoir et parle en chuchotant.

On dirait qu'elles chantent.

Il écoute un instant, en silence, très attentif. On entend des coups de fusil retentir et se perdre au loin, sporadiques. Il est immobile, comme hypnotisé. Ses yeux fixes regardent le néant. Ensuite, il se lève lentement. Un sourire s'installe

doucement sur son visage pendant que les balles
sifflent au-dessus de sa tête. Il entonne une
comptine.

Hirondelle, hirondelle, hirondelle,
Quand tu partiras en voyage
Dis-lui de faire vite ses bagages
Dis-lui que je meurs d'ennui.

Hirondelle, hirondelle, hirondelle,
Quand tu partiras en voyage
Dis-lui que j'attends son message
Dis-lui que je meurs d'ennui.

Hirondelle, hirondelle, hirondelle,
Dis-lui que j'attends qu'il revienne
Hirondelle, hirondelle, hirondelle,
Dis-lui que je meurs d'ennui.

Un jour j'étais seul au milieu des champs et des
gens sont passés et ils chantaient. La chanson
racontait l'histoire d'une fille qui attendait que
son amour revienne. Elle était triste parce que
ça faisait longtemps qu'il était parti et elle
n'avait pas de nouvelles de lui parce qu'il ne lui
écrivait pas et elle croyait qu'il était mort parce
qu'il était parti à la guerre. À la fin de la
chanson...

Il s'arrête brusquement. Son visage se durcit,
jusqu'à se charger d'une certaine violence.

Ça vaut pas la peine d'y penser, c'est trop loin.
De toute façon je me souviens plus de rien
tellement c'est loin.

Il reste un temps perdu dans ses pensées.

— Reste là !
Oui. Je sais.

Pause.

Je n'entends plus rien, la voix ne chante plus.
Elle est partie avec les autres.
Moi on m'a dit
— Reste là ! C'est très important !
Alors je reste et j'attends.

*Il s'assoit et reste silencieux. Tout à coup, les tirs
d'artillerie se font très proches.*

Ça y est, ça recommence.

*Après un instant, le bruit des explosions
s'éloigne jusqu'à disparaître. Le Soldat regarde
autour de lui. Les ombres de la nuit tombante
commencent lentement à l'entourer. Les voix ne
parlent plus. Alors, une profonde sensation de
solitude l'envahit.*

La nuit va bientôt arriver. J'aime pas la nuit. On
ne voit pas. On n'y voit rien. Les bruits viennent de partout. Ils sont toujours derrière toi,
comme s'ils t'attendaient et toi, tu ne les vois
pas. Rien que des ombres qui bougent tout le
temps et des bruits derrière toi. J'aime pas la
nuit ! C'est vrai que les autres n'y voient rien
eux non plus, mais tu ne le sais pas. La seule
chose que tu sais, c'est que tu n'y vois rien et
que t'es seul. Des fois on entend des voix la

nuit. On ne comprend pas ce qu'elles disent, mais on sait qu'on n'est pas seul. C'est mieux de ne pas comprendre ce qu'ils disent dans les tranchées. J'aime mieux ça comme ça.

Pause.

Après, la voix ne répondait plus.
— Va chier !
qu'il disait l'autre.
— Va chier…

L'obscurité a gagné l'espace. L'Ange apparaît, debout sur un poteau. Le Soldat sort une cigarette et s'apprête à l'allumer quand il s'aperçoit que la nuit est autour de lui. Constatant le danger d'être vu par l'ennemi, il reste un instant immobile. Il est fâché contre lui-même. Il sort une boîte et range sa cigarette. Il regarde longuement en direction de l'Ange.

Ah ! t'es là. Ça fait longtemps que je t'ai pas vu. Je croyais que tu ne reviendrais plus.

Le Soldat regarde ailleurs, comme s'il voulait l'ignorer, puis il lui parle d'un air hautain.

Qu'est-ce que tu veux ? Je suis fatigué de te voir là, à m'observer sans rien dire. Va-t'en ! T'es qu'un trou au milieu de la nuit ! Qu'est-ce que tu veux ? Va-t'en ! Tu vois pas que je suis occupé ?

Il sort encore sa cigarette et s'apprête à l'allumer.

L'Ange — Ils vont te voir.

Le Soldat — Tu parles ?

L'Ange le regarde fixement pendant que le Soldat, confus, regarde la cigarette qu'il s'apprête à allumer.

Ils vont me voir…

Encore surpris par l'intervention de l'Ange.

Tu parles, vraiment ?

L'Ange le regarde sans lui répondre.

Oublie ça. Je crois que je commence à être fatigué.

Il rit.

Je sais même pas si t'es vraiment là et maintenant je me mets à croire que tu parles !

L'Ange — Je t'ai seulement dit qu'ils allaient te voir.

Le Soldat, incrédule, le souffle coupé et les yeux grands ouverts.

Le Soldat — Là tu as parlé…

Puis, criant vers l'Ange, presque sûr de l'avoir entendu.

Tu as parlé ? !

L'Ange le regarde, muet. Le Soldat est furieux.

Joue pas avec moi !

Il se remet à chanter.

Malbrought s'en va en guerre mironton, mironton, mirontaine. Malbrought s'en va en guerre...

L'ANGE — Pourquoi as-tu peur de la nuit ? Pendant la nuit tu ne vois rien, mais les autres, si tu n'allumes pas ta cigarette, ils ne te voient pas non plus.

LE SOLDAT — Tu parles. Oui, tu parles !

Sentant qu'il peut échapper à l'emprise de la nuit, son visage s'éclaire d'un sourire candide.

Si tu parles, tu peux m'aider !

L'ANGE — Je ne peux pas effacer la nuit.

LE SOLDAT — Non... mais tu peux voir... même la nuit.

L'ANGE — Je n'y vois rien.

LE SOLDAT — Oui, tu vois tout. Les anges comme toi sont capables de tout voir.

L'ANGE — Je n'y vois rien. Autour de moi l'espace est infini et je ne le vois pas. Quand tout est noir, on ne voit rien du tout. Peu importe où je me trouve je suis au centre, et le noir est autour de moi.

LE SOLDAT — Et moi ? Est ce que je suis au centre moi aussi ?

Il serre son fusil avec force. Encerclé de toutes parts, de plus en plus enfermé par les ombres de la nuit, il se crispe comme un animal traqué.

L'ANGE — Pars ! Pars !

LE SOLDAT — Je peux pas. Ils ont dit...

L'Ange continue à parler d'un air terrible, quasi apocalyptique, se laissant emporter par ses souvenirs. Peut-être.

L'ANGE — Pars !

LE SOLDAT — Ils ont dit
— Reste là !

L'ANGE — Pars ! !

LE SOLDAT — C'est très important ! ...et puis, c'est la nuit.

L'ANGE — Pars ! ! !

LE SOLDAT — J'y vois rien !

L'ANGE — Si tu restes là, c'est comme si tu marchais toujours vers la limite de la nuit sans jamais atteindre la fin. Si tu restes là, l'obscurité sera toujours là. Alors, il t'arrivera ce qui doit t'arriver. L'ivresse de la nuit te fera perdre l'attention pendant un instant, un seul instant, petit, et là, ce sera le moment. Dans ce tout petit moment, dans cet instant infinitésimal, une minime fraction de la nuit, l'horizon noir qui est la substance de la nuit entrera dans ton corps et sans t'en rendre compte, tu commenceras le long voyage de la nuit et tu ne le sauras jamais. Pars !

Le Soldat le regarde, atterré.

Comme toutes les choses infinies, chaque point de la nuit est égal à toute la nuit, mais le secret ne se trouve pas dans un seul point de la nuit. La nuit n'est pas un nuage sur lequel on repose son ignorance crédule. Moi non plus je n'y vois rien. Pars. Ne m'écoute plus. Pars. La substance de la nuit n'a pas d'importance. Moi je n'ai pas d'importance. Tu dois partir !

L'angoisse se transforme peu à peu en délire.
Dans le discours du Soldat le présent se mélange
au possible.

LE SOLDAT — Si je vois passer un ange, je lui ferai un sourire, naturellement, comme si les nuages étaient pleins d'anges. Lui, l'ange, me dira « Pars », avec une voix étrange, comme celle des rêves. « Pars » me dira l'ange et moi je ne lui répondrai pas. J'attendrai que la nuit s'en aille et l'ange me dira « Pars », avec sa voix de fond de tiroir, mais je ne lui répondrai pas.

Il reste un instant silencieux, les yeux fixés dans
le noir, égaré. L'Ange disparaît lentement. Le
Soldat s'abandonne peu à peu, puis il s'endort.

Dans l'obscurité, les bombardements recommencent. Progressivement, la lumière du jour éclaire la scène. Les bombardements cessent. Il se réveille sans savoir ce qui se passe autour de lui. Un instant après, il s'aperçoit qu'il a dormi et se met brusquement debout, le fusil dans les mains. Dans un geste mécanique, il actionne le chargeur et demeure en position de combat. Le silence est total. Ensuite, il retourne s'asseoir sur la caisse. Derrière, sur le poteau, l'Ange le regarde à nouveau. Le Soldat se tourne vers lui. L'Ange le regarde. Une triste solitude s'installe progressivement dans sa voix.

L'ANGE — Les soldats, lorsqu'ils sont seuls, pensent justement au fait qu'ils sont seuls. Chaque jour est comme une nouvelle solitude qui commence. Maintenant, moi aussi je suis seul, mais ce n'est plus la même chose. Les soldats comme toi pensent que c'est important d'être ici, mais en réalité, au fond de toi, tu sais que si tu n'étais pas ici, rien ne changerait, ou presque.

LE SOLDAT — Les soldats ne pensent à rien.

L'ANGE — Oui, je sais, les soldats ne pensent pas. Alors tu es là. Ou tu n'es plus là et c'est pareil.

LE SOLDAT — Je ne comprends rien à ce que tu dis.

L'Ange reprend son air apocalyptique.

L'Ange — Personne ne s'en fera si quatre tonnes de fer te passent sur le corps. Personne ne s'en fera si trois bataillons marchant au pas t'enfoncent dans la boue, un peu plus.

Le Soldat — Quand il fait jour, tout est différent. Pendant la nuit, c'est difficile, mais le jour les choses ne sont pas si terribles. C'est vrai que c'est long, mais c'est pas pareil. J'aime pas la nuit.

L'Ange disparaît. Le Soldat le cherche.

Où est-ce que t'es ?

Il constate que l'Ange est parti.

Quand on est seul, si on n'est pas là, je veux dire… Tu es là ? Tu dis que rien ne change. Si on n'est plus là, personne ne s'en fait. Personne.

Il cherche encore l'Ange.

Où est-ce que t'es ?

Il reste un instant silencieux et fait des efforts pour entendre un bruit qui puisse lui révéler que l'Ange est là, que la vie continue dans ce coin oublié où l'on meurt toujours incognito. Parlant en direction du poteau sur lequel l'Ange se tenait.

T'es fâché ? Où est-ce que t'es ?

L'Ange réapparaît un court instant.

L'Ange — Ici. Ne crie pas.

Fatigué.

Je suis ici.

Ils se regardent d'un air méfiant. Ensuite, l'Ange continue de parler en faisant un effort pour se calmer.

Tu es comme les autres. Tu ne fais qu'être là, en attendant on ne sait quoi. Qu'est-ce que tu attends ? Les derniers fidèles ?

Sa voix résonne dans l'espace comme un vent étourdissant.

Ceux qui croient encore attendent toujours le Sauveur du naufrage ou l'ordre de l'offensive, ce qui est la même chose ! Pars. Pars une fois pour toute. Pars et ne reviens plus. Ne regarde plus en arrière et pars.

Sa voix résonne dans l'espace comme un vent étourdissant.

Ceux qui croient encore attendent toujours le Sauveur du naufrage ou l'ordre de l'offensive, ce qui est la même chose ! Pars une fois pour toutes. Pars et ne reviens plus. Ne regarde plus en arrière.

Le Soldat — Je peux pas m'en aller,
    — Reste là !
Reste là !
qu'ils ont dit.

— Reste là !

Et je suis là, et j'y reste. C'est tout. Qu'est-ce que tu sais toi !

Pause.

Tu sais tout ? !

Perdant l'Ange de vue, il s'inquiète.

Des fois, j'ai l'impression qu'il est toujours là, qu'il me regarde. J'ai l'impression qu'il se moque de moi. J'aimerais qu'il soit pris, lui aussi, dans la boue, que ses ailes brillantes deviennent une vieille carcasse et que ses pieds tout propres restent cloués au fond de la tranchée. Ce jour-là, les autres, sans le savoir, marcheront sur ses ailes...

Il commence à marcher en enfonçant ses bottines dans la boue épaisse.

Un, un autre et un autre et d'autres encore, dans un long défilé et lui, il restera pris au fond de la tranchée et ses ailes, perdues à jamais, l'empêcheront de s'envoler et il mourra,

Ses pas, comme ses mots, deviennent de plus en plus violents.

l'Ange mourra, comme les autres, et personne ne se souviendra de lui et on l'oubliera au fond de la tranchée.

Tout à coup il s'arrête un instant. Puis, pour lui-même, changeant radicalement de ton, comme si c'était une évidence.

On oublie tout au fond de la tranchée.

Il reprend sa marche violente dans la boue.

Et les autres continueront à marcher sur les ailes inutiles et plus personne ne se souviendra de lui !

Il s'arrête et parle sans violence, comme s'il s'agissait d'une phrase banale.

De toute façon, il y a beaucoup d'anges et personne ne s'en rendra compte s'il en manque un.

Distraitement, il joue avec la baïonnette, puis soudain l'enfonce dans la boue comme s'il tuait un ennemi dans un combat corps à corps. Tenant la baïonnette enfoncée.

Il faut s'entraîner. L'entraînement, c'est très important.

Il se tourne brusquement en pointant son fusil. À l'Ange.

Ah ! c'est toi.

Il s'assoit.

T'es pas parti ?

L'Ange le regarde sans lui répondre.

Tu veux plus me parler ?

Après un long moment, il continue.

Des fois, j'entends des voix dans ma tête. Je sais pas si les voix que j'entends dans les tranchées sont vraies ou si elles sont pas vraies. Ou si elles ne sont que dans ma tête. Surtout la nuit.

Pause.

La nuit il y a comme des bruits partout, et après il y a des longs silences, mais pas des silences sans bruit, il y a des bruits partout dans le silence de la nuit, alors quand j'entends des voix ça fait du bien, même si je les connais pas. Le jour, c'est différent, il y a des vrais bruits, il y a des vraies voix. Le silence est pas pareil. Avant, quand tu ne me parlais pas t'étais là et tu disais rien. Là, je me mets à croire que tu me parles tout le temps. Je crois que je suis fatigué. Tu as passé tant de temps comme une image muette dans le ciel que, depuis que tu m'as parlé pour vrai, je me mets à croire que tu me parles tout le temps. T'es fâché contre moi ? Tes ailes, tu sais, elles sont belles. Moi aussi j'aimerais bien en avoir. Tu me pardonnes ?

L'Ange le regarde mais ne répond pas.

T'es fâché ? Des fois, j'ai peur, et je dis des choses, comme ça, juste comme ça. Je croyais que les anges savaient pardonner.

Il se lève à moitié, comme pour se rapprocher de l'Ange qui, lui, reste immobile et lointain. Le Soldat, craintif, s'assoit à nouveau.

Oublie ça.

Pour lui.

Ça fait longtemps que j'ai pas entendu de voix. Peut-être qu'il n'y a plus personne. Peut-être qu'ils sont partis, ou peut-être pas.

Il ressort le morceau de tissu et recommence à frotter son fusil en fredonnant des passages de la chanson. L'Ange disparaît.

Malbrought s'en va en guerre, Malbrought s'en va en guerre, et ne s'en revient plus.

Courte pause.

Il reviendra à Pâques, il reviendra à Pâques

Courte pause.

ou à la Trinité, ou à la Trinité, Malbrought ne revient plus...

La détonation isolée d'un coup de fusil retentit dans le champ. Lui, dans un geste automatique, instinctif, se redresse, les yeux grands ouverts, la bouche ouverte, le fusil dans la main droite, le bras gauche allongé, la main gauche ouverte et rigide. Il demeure longuement dans cette position, pendant qu'on entend l'écho du coup de feu s'éloigner lentement, puis se perdre au loin. Alors, il s'assoit. Il laisse tomber son fusil, les bras lourds, abandonnés le long du corps.

Non, ce n'est pas celle-là.

Le bruit de la bataille recommence au loin, s'approchant peu à peu, jusqu'à envahir l'espace dans un éclat assourdissant. Il se couvre la tête avec les bras et reste dans cette position jusqu'à ce que les explosions cessent.

LA BOTTINE

Le Soldat se lève lentement, comme s'il ne savait pas quoi faire puis, distrait, commence à jouer dans la boue avec la pointe de sa baïonnette. Soudain, un objet enfoncé attire son attention. Son corps se crispe. Presque immobile, il commence à jouer autour de l'objet avec la pointe de sa baïonnette. Il semble s'affairer à déterrer une mine. Au bout de quelques instants, il dégage une bottine remplie de boue. Son corps se détend et il va s'asseoir sur la caisse en emportant cette bottine, comme un trophée. Il commence à la nettoyer. Voyant qu'elle est en meilleur état que les siennes, il enlève la plus usée, et enfile la nouvelle, presque fier.

L'Ange — Elle te va bien ?

L'Ange regarde le Soldat avec une certaine indifférence.

Le Soldat — Oui, elle me va bien. Enfin, je crois qu'elle me va bien. Tu n'es plus fâché ? Je croyais que tu ne voulais plus me parler. C'est vrai que je t'ai dit des choses pas bien, mais tu... des fois... c'est comme... avant tu me disais... Oublie ça !

Il rit.

L'Ange — Je t'ai seulement demandé si la bottine t'allait bien.

Le Soldat — Oui, elle me va bien.

L'Ange — Ah ! tu es chanceux.

Le Soldat — Pourquoi ? Ce n'est qu'une bottine pleine de boue. Il y a un tas de choses dans la boue, tu sais ? Il y a des casques, des baïonnettes, des fusils, il y a même des papiers tout pliés, comme pour que personne ne puisse les lire, mais de toute façon ils sont tout mouillés et pleins de boue et même si tu essaies de les lire tu ne peux pas parce que les mots sont tout effacés. La boue est pleine de petites choses. J'ai même trouvé une montre, mais je l'ai perdue. Le problème c'est quand tu trouves une mine. Là ça va mal. Mais des bottines, il y en a plein. Des fois il y en a des plus grandes, des fois il y en a des plus petites…

L'Ange — Des fois, on trouve des choses et peu importe qu'elles soient grandes ou petites, elles ne nous servent pas. D'autres fois, elles nous servent, mais pas pour longtemps. Même avec cette bottine, la nuit tu ne verras pas plus qu'avant, alors elle ne te servira peut-être pas pour longtemps.

Le Soldat — Je ne comprends pas.

L'Ange — Pourtant c'est simple.

Le Soldat — Non c'est pas simple. Quand tu parles, c'est toujours compliqué et je ne comprends rien. Qu'est-ce qu'elle a ma bottine ? Elle est presque neuve, pourquoi elle ne me servirait pas pour longtemps ? Tu dis toujours les choses à moitié. C'est bien difficile de te suivre, tu sais ? Qu'est-ce qu'elle a ma bottine ? Elle est presque neuve.

Signalant la vieille bottine.

En tout cas, elle est moins vieille que celle-là et puis si elle ne me sert pas longtemps, tant pis, j'en trouverai une autre.

L'Ange — Tu ne veux pas comprendre.

Le Soldat — Alors parle-moi plus clairement. « Elles ne nous servent pas, d'autre fois elles nous servent mais pas pour longtemps. » Décide-toi, elles servent ou elles servent pas ? Tu parles, tu parles mais tu ne dis rien. Tu la veux ma bottine ? Eh ! je te parle, tu la veux ma bottine ?

L'Ange — Parfois les choses nous servent. D'autres fois elles ne nous servent pas. Ou alors elles nous servent, mais pas longtemps.

Le Soldat, furieux, pointe son fusil sur L'Ange.

Le Soldat — Arrête !

L'Ange — La boue est pleine de choses inutiles, comme nous. Elles sont là un jour et disparaissent le jour suivant.

Le Soldat — T'as pas entendu ?

L'Ange — Arrête de faire comme si tu ne comprenais pas ! Je ne peux pas tout t'expliquer comme à un enfant. Regarde autour de toi. Qu'est-ce que tu vois ?

Le Soldat — Rien.

L'Ange — Fais un effort.

Le Soldat — Ben. Il n'y a rien.

L'Ange — Tu ne vois personne ?

Le Soldat — Non.

L'Ange — Tu en es sûr ?

Le Soldat — Oui.

L'Ange — Tu en es vraiment sûr ?

Le Soldat — Où tu veux en venir ? Tu ne vois pas qu'il n'y a personne ?

L'Ange — Regarde derrière toi.

Le Soldat se tourne brusquement et pointe son fusil. Ensuite, il regarde partout autour de lui sur la défensive. Constatant qu'il n'y a personne, il regarde vers l'Ange.

LE SOLDAT — Joue pas avec moi !

L'ANGE — Je ne joue pas avec toi ! Je veux que tu comprennes le fond des choses. Je veux que tu comprennes que si tu restes là, ça va finir par t'arriver. Je veux que tu regardes autour de toi et que tu penses. Si tu regardes loin, tu ne verras qu'une ligne à l'horizon. Mais tu sais que tu n'es pas seul ici. Tu sais qu'il y en a d'autres qui sont cachés, comme la bottine dans la boue. Tu ne les vois pas mais tu sais qu'ils sont là. Alors, tu es seul et tu n'es pas seul.

LE SOLDAT — C'est ça, je suis seul et je ne suis pas seul. Tu vois que tu es complètement flingué ? Décide-toi. Si je suis tout seul c'est parce qu'il n'y a personne d'autre et si je ne suis pas tout seul c'est parce qu'il y a quelqu'un d'autre. C'est simple.

L'ANGE — Alors, pourquoi tu restes là ?

LE SOLDAT — Je te l'ai déjà dit. Il faut que je reste là parce que c'est très important.

L'ANGE — Mais oui, c'est ça.

LE SOLDAT — Qu'est-ce que tu veux dire ?

L'ANGE — Reste là, comme la bottine, jusqu'à ce que tu sois au fond de la boue.

LE SOLDAT — Eh !

L'ANGE — Quoi ?

L E S OLDAT — Rien. Va-t'en !

L'A NGE — Prends garde. Le temps ne dure pas toujours.

L E S OLDAT — Toi non plus tu ne vas pas durer toujours parce que si tu continues comme ça, je vais t'envoyer une balle dans le plumage.

Le Soldat va s'asseoir et se remet à chanter.

Malbrought s'en va en guerre, mironton, mironton, mirontaine. Malbrought s'en va en guerre, et ne s'en revient plus. Il reviendra à Pâques mironton, mironton, mirontaine, il reviendra à Pâques ou à la Trinité, ou à la Trinité. La Trinité se passe, mironton, mironton, mirontaine, la Trinité se passe, Malbrought ne revient plus.

L'Ange disparaît. S'en apercevant, Le Soldat reste coi, paralysé comme une statue. Puis, se mettant lentement debout, ses yeux commencent à bouger dans toutes les directions, le corps toujours figé, cherchant à découvrir un indice qui puisse l'avertir de la présence de l'Ange.

Reviens… ! Je t'ordonne de revenir !

Il pointe son fusil vers un lieu, puis vers un autre.

Qu'est-ce que tu veux de moi ? Vas-y, dis-moi ce que tu veux de moi ? Tu veux me faire chier comme un con, c'est ça ? Eeeeeeh ! Je te parle !

Réponds-moi espèce de plumeau dégarni.
Montre-toi et tu vas voir ce que c'est qu'une
balle. Eh merde, va te faire foutre !

*Vivement, il enlève la bottine et la tient dans ses
mains, sans savoir quoi en faire. Espérant toujours que l'Ange réapparaisse, il se tient en désé-
quilibre sur un pied, dans une position
franchement ridicule.*

Tu es jaloux parce que j'ai trouvé une bottine ? !
Ben, viens la chercher la bottine, je ne la veux
plus. J'en trouverai une autre.

*Tout à coup, il se met à pleuvoir. Il s'assoit sur
la caisse à munitions. La pluie a cessé. Il tient
toujours la bottine dans sa main et le pied nu
en l'air. La voix de l'Ange se laisse entendre,
cette fois elle résonne comme une voix divine,
imposante.*

L'Ange — Mets-la. Mets la bottine. Vite !

Puis, le suppliant.

Mets-la, s'il te plaît. Mets-la et ne l'enlève plus.

Le Soldat met la bottine sans trop comprendre.

Ne l'enlève plus. Plus jamais.

*Le Soldat ne comprend pas ce que l'Ange veut
lui dire.*

Le Soldat — Oui.

L'Ange — Les bottines appartiennent toujours à quelqu'un, mais un jour il peut arriver qu'elles ne nous servent plus et que les choses deviennent noires, que tout ce qu'on voulait, que tout ce qu'on aimait se brise dans un éclat. Et tout s'arrête, subitement, dans l'éclat d'une détonation lointaine. Alors, il n'y a plus de formes, plus de bottines, plus rien. Et les bottines restent au fond, dans la boue. Je suis content que quelqu'un l'ait enfin trouvée, que tu aies trouvé la bottine dans la boue. Elle était seule depuis trop longtemps, mais ne l'enlève plus. Ne l'enlève plus.

Dans ce même instant, les mitraillettes commencent à tirer de partout. L'Ange disparaît mais le Soldat ne le remarque pas. Il s'agrippe à son fusil, les dents serrées, le corps en alerte. Ensuite, le calme revient et l'Ange réapparaît. Le Soldat est rassuré de voir l'Ange.

Oui. Elle me va bien. Pourquoi il n'y a plus de bottines et plus de rien? S'il y a des «détonations lointaines» comme tu dis, c'est qu'il y a des bottines et des soldats et d'autres choses.

L'Ange — Je ne sais pas si c'est toujours comme ça, mais des fois, je veux dire, certaines choses que je dis, j'imagine que tu ne les comprends pas. Pas toujours.

Le Soldat — Tu dois savoir beaucoup de choses, là, en haut, mais ça ne doit pas non plus être facile pour toi de toujours comprendre ce qui se passe ici, en bas.

Il croit entendre un bruit.

Chhhhhhhut !

Il cherche partout en essayant de découvrir d'où provient le bruit. L'Ange disparaît. Le Soldat se cache derrière la caisse de munitions et guette, méfiant. Des ombres se font de plus en plus visibles. Il est clair que quelques personnes se rapprochent du lieu.

LES OMBRES — Là et là !
— Faites attention !
— Ahhhh !
— Par ici, vite, vite, dépêchez-vous.
— Ahhhh !

Quelques lamentations et gémissements se laissent entendre d'un peu partout. Le chaos s'installe progressivement.

— Dépêchez-vous ! Ils vont recommencer d'un moment à l'autre.
— Celui-là y a plus rien à faire.
— Dépêchez-vous !
— Ahhhh…
— Par ici, vite, vite !
— Là, là !
— Allez-y, plus vite, plus vite !
— Là.
— Non !

— Mais…

— Non ! On n'a plus le temps, il faut s'en aller. On s'en va. Vite. Attention ! Vite, partons !

— Et lui ? Qu'est-ce qu'on fait de lui ?

— Non. Pas lui !

— Mais…

— Vite. Allons-nous-en !

Les voix s'éloignent jusqu'à disparaître.

LE SOLDAT — Eeeeh ! Attendez. Eeeeeeh ! ! Eeeeeeeeeeeeh ! ! !

Il court vers le lieu où les ombres ont disparu puis il crie, désespéré.

Eeeeeeeeeeeeeeeeeeh ! ! !

Il tremble de tout son corps. Il retourne s'asseoir sur la caisse. L'Ange apparaît. Cette fois il se trouve plus près de lui. Il s'adresse à l'Ange avec violence.

Qu'est-ce que tu veux ? Va-t'en ! Va-t'en ! Tu m'as encore laissé seul. Chaque fois c'est pareil. Tu disparais quand il arrive quelque chose et puis tu reviens après, comme si rien ne s'était passé. Tu réapparais avec ton sourire idiot ou ton regard sérieux de prêtre sacré, en haut, comme un… comme une apocalypse ! Mais c'est ici que les choses se passent, et quand elles arrivent, tu disparais et tu me laisses seul.

Menaçant.

Va-t'en ou je tire !

Il pointe son fusil vers l'Ange.

Va-t'en ! La prochaine fois je t'attraperai. J'attraperai tes ailes et je m'arrangerai pour que tu ne puisses plus voler. Je les casserai comme un morceau de bois pourri et je marcherai avec mes bottes sur tes ailes et tu ne pourras plus voler, plus jamais. Tu resteras ici, cloué à la terre comme une statue.

Il rit. L'Ange disparaît. Criant de sa pleine voix.

Cloué à la terre, toute ta vie !

En riant de plus en plus.

Je vais te les casser à coups de bottes tes ailes et tu seras condamné à les traîner dans la boue et elles vont se défaire comme un vieux pantalon plein de trous. Tu vas les traîner tes ailes, pleines de boue, comme on traîne une vieille carcasse pourrie et puis je t'enfermerai dans une cage dorée, oui, une immense cage dorée. Tu chanteras des psaumes et moi je te regarderai dans ta cage dorée. Toi, les ailes pleines de boue, tu chanteras des psaumes pour moi, rien que pour moi et tu seras mon ange du matin.

Il rit aux éclats. Une musique céleste, comme si mille anges chantaient à l'unisson, envahit l'espace. Le Soldat, violent.

Tais-toi !

La musique cesse. L'Ange apparaît. Un lourd silence s'installe puis, doucement, l'Ange commence à chanter un psaume, de sa voix aiguë d'ange éternel. Le Soldat reste un instant paralysé et puis, lentement, va s'asseoir sur la caisse.

T'es qui toi ?

L'Ange ne lui répond pas. Il continue son chant, qui devient des plus douloureux.

Qu'est-ce que tu cherches ?

L'Ange chante de plus en plus faiblement, et ne lui répond toujours pas.

Est-ce que t'es mort ?

Des larmes silencieuses glissent lentement sur la joue de l'Ange.

Arrête, s'il te plaît.

L'Ange cesse de chanter. Longue pause.

Tantôt ils sont venus les chercher. Il y en avait partout. Des morts, des blessés… partout. Tout à coup, ils sont apparus et ils criaient
— Vite par ici !
— Non. Celui-là, non. Regarde là-bas !
— Par ici ! Vite, vite, vite !
— Allons-nous-en !
— Et lui ? Qu'est-ce qu'on fait de lui ?

— Non. Pas lui !
qu'ils ont dit.

Courte pause.

C'est ça qu'ils ont dit, pas lui.
— Pas lui !
— Mais…
— Vite. Allons-nous-en !
Et moi,
— Eeeeeeh ! Eeeeeeeeeh ! !

Pause

Et ils sont partis.

Pause

Il y avait des ombres partout. Il y avait une ombre qui donnait des ordres et les autres couraient, couraient, couraient. Et puis ils sont partis. Il y avait des gens qui criaient autour de moi
— Ahhhh ! Ahhhh !
et les autres couraient, couraient, couraient.
— Vite par ici !
et l'autre
— Qu'est-ce qu'on fait de lui ?
— Non. Pas lui !
c'est ça qu'il lui a dit,
— Pas lui !
et moi,
Eeeeeeh ! !   Eeeeeeeeeeeeh ! ! !
Eeeeeeeeeeeeeeeeeeh ! ! !
Mais ils sont partis.

Il regarde l'Ange, mi-fâché, mi-triste.

Pourquoi t'étais pas là ? Pourquoi tu pars, pourquoi tu me laisses seul quand ils sont là ? T'es qui toi ? Je sais pas qui tu es mais... tu n'étais pas là. Quand tu me laisses seul c'est plus pareil. Avant t'étais pas là et moi on m'avait dit.
— Reste là ! C'est très important !
J'étais tout le temps tout seul, mais après, t'as commencé à me parler et là, c'est plus pareil. Pourquoi t'étais pas là ?

Pause.

Tu sais, tantôt c'était pas vrai. Excuse-moi. T'es fâché avec moi ? S'il te plaît, chante. Chante pour moi. Quand tu chantes, c'est comme si la musique n'était qu'à l'intérieur de moi, comme si tout ça autour n'était qu'un jeu, un rêve, un gros rêve, mais, la musique... à l'intérieur de moi... chante, chante pour moi. Chante, s'il te plaît.

L'Ange chante à nouveau. Le Soldat s'endort appuyé sur son fusil. L'Ange et sa voix disparaissent lentement, comme si un nuage les emportait, effaçant figure et voix derrière une transparence. Le Soldat reste seul, endormi. Soudain les bombardements recommencent avec une violence inusitée. La fumée des explosions envahit l'espace avec un goût âcre. Les explosions éclatent de partout. Les cris de douleur et les ordres hâtifs s'entrecroisent avec les décharges systématiques de mitrailleuses lourdes. Le Soldat, au milieu de la fumée, saute d'un lieu à l'autre, désespéré. Les explosions se font moins fréquentes et s'éloignent jusqu'à disparaître. Pendant un long moment, le vent emporte la fumée teintée de rouge qui traverse le champ, donnant de cet espace une image infernale. Puis, le corps du Soldat se fait plus visible à mesure que la fumée s'évanouit. Un coup de fusil retentit dans le champ. D'un geste vif, le Soldat avance d'un pas, se retourne brusquement et porte les mains dans son dos. Il reste un instant immobile, les yeux et la bouche grands ouverts. Puis, ses bras s'allongent lentement. Il lève la tête vers le ciel. Son regard est intense, comme une question jamais posée. Il demeure dans cette position pendant qu'on entend l'écho du coup de feu s'éloigner lentement, puis se perdre.

Non, ce n'est pas celle-là.

Il s'assoit sur la boîte de munitions.

LA LETTRE

Une fois les bombardements terminés, le calme revient. Le Soldat tombe dans un état d'abandon. Le poids de la situation sur ses épaules courbées opprime visiblement sa poitrine. Sa respiration est difficile et entrecoupée de longs et profonds soupirs. Un avion passe. Tout à coup, une lettre tombe du ciel. Le corps endolori par les tensions subies pendant le bombardement, le Soldat se lève lentement. De toute évidence il ne comprend pas d'où vient la lettre. L'Ange l'observe, assis sur un poteau.

LE SOLDAT — Eh! Il y a quelqu'un?

Il prend la lettre et la fait tourner entre ses mains. Elle est écrite dans une langue et un alphabet que de toute évidence il n'arrive pas à déchiffrer. Puis, il retourne s'asseoir sur la boîte. Il sort sa baïonnette et ouvre la lettre avec empressement, en regardant constamment alentour. Il essaie de la lire. La voix de l'Ange résonne, accusatrice.

L'ANGE — Elle n'est pas pour toi. Tu n'as pas le droit de la lire.

LE SOLDAT — Si elle est tombée sur moi, elle est à moi.

Il retourne à la lettre et essaie à nouveau de la lire.

Et puis ça fait longtemps que j'en ai pas reçu une. En fait, j'en ai jamais reçu.

Sûr d'avoir trouvé une raison valable.

Et puis comment sais-tu si elle est pour moi ou pas ? Toutes les lettres sont égales et celle-ci est sûrement pour moi.

L'Ange — Elle n'est pas écrite dans ta langue.

Le Soldat — Tu ne l'as pas lue, comment tu sais si ce n'est pas ma langue ?

L'Ange le regarde d'un air à la fois hautain et sévère. Il s'assoit et essaie de déchiffrer l'écriture. L'Ange le regarde toujours.

Laisse-moi seul, c'est privé. Les lettres c'est toujours privé.

Il ne parvient pas à lire un seul mot. De plus en plus nerveux.

Aide-moi ! Toi, tu dois savoir toutes les langues. C'est urgent que je puisse la lire.

L'Ange — Elle ne dit rien d'urgent.

Le Soldat — Je suis sûr qu'elle me dit des choses importantes.

L'Ange — Elle dit la même chose que toutes les lettres, les mêmes mots qu'on écrit tant de fois, les mêmes phrases qu'on écrit quand on ne sait pas dire les choses importantes. Des phrases qui se promènent d'une lettre à l'autre, d'un silence à l'autre, d'un souvenir à l'oubli éternel.

LE SOLDAT — Pas la mienne !

Montrant la lettre à L'Ange, comme un trophée.

Ma lettre dit des choses très importantes.

L'ANGE — Non. Elle dit la même chose que toujours. Elle dit qu'il a été seul longtemps, comme les autres. Ils sont tous seuls. Elle dit que ses pieds étaient attachés à la terre sèche et que ses mains étaient armées de couteaux. Elle dit qu'il était seul, entouré d'ombres dans la nuit et que ses mains étaient armées de couteaux.

Le Soldat, les yeux fermés, se laisse envahir par sa propre illusion.

LE SOLDAT — Ma lettre dit qu'il est heureux. Elle dit qu'après, il est devenu vieux en regardant l'horizon. Et maintenant il est heureux.

L'ANGE — Et maintenant il est mort !

LE SOLDAT — Ma lettre ne dit pas ça.

La voix de l'Ange frappe le visage du Soldat. Comme un crachat.

L'ANGE — Elle dit qu'il est tombé le visage dans la boue, une main ouverte et l'autre dans le dos pour toucher le trou, le point rouge de la mort infinie.

Le Soldat — Non! Ma lettre dit qu'il est dans le jardin d'un frère aîné.

L'Ange — Elle ne dit rien de tout ça. Elle dit des choses sans importance. Et puis, les ennemis sont arrivés quand personne ne les attendait. Ils sont apparus de derrière la lune, les yeux remplis d'une mort subite.

Le Soldat — Ce n'est pas vrai! Ma lettre dit que les oiseaux sont passés vers le nord. Le printemps... le champ devient vert et les oiseaux arrivent du sud et s'en vont vers le nord.

L'Ange — Non! Elle dit qu'il est au centre du cratère, à l'endroit exact de la détonation de la grenade. Elle dit qu'il a le dos brisé, la liberté vaincue et les poumons engourdis par autant de superficie trouée.

Le Soldat, de plus en plus angoissé, pleurant presque, serre la lettre contre sa poitrine. Peu à peu commence son délire. Un sourire innocent, teinté d'une nostalgie de film romantique s'installe sur son visage. Il regarde au loin, comme un enfant égaré dans ses pensées. On entend un fond musical. C'est une marche triomphale, comme celles des films épiques américains. Sur le fond de scène est projeté le générique d'un film des années 1950.

Le Soldat — Quand les oiseaux reviendront vers le sud, je lui dirai que moi aussi j'existe, je lui dirai que la terre est en dessous de moi et que les oiseaux sont dans le ciel bleu. En cet instant je suis loin, mais je lui dirai que je reviendrai quand ce sera l'heure. Je lui ferai des signes à l'entrée du chemin. Les oiseaux passeront vers le sud et il sera sous les ormes. Je marcherai, ma valise à la main. J'arriverai de loin pour célébrer la gloire. Il viendra lentement, nous marcherons ensemble et nous serons heureux comme des frères qui se retrouvent après long-temps. De l'autre côté du chemin, elle nous regardera, les yeux pleins de larmes heureuses, le ciel sera bleu et les nuages passeront et tout sera comme avant, au temps de la moisson. Tout sera comme avant !

L'ANGE — Il était nu sur la terre en attendant qu'on l'appelle. Il était seul. Les ennemis arrivent tou-jours quand on s'y attend le moins. Lui aussi il était là, ne s'attendant à rien. Il se souvenait sûrement du jour de son départ, de son lointain amour abandonné, de la fenêtre du train, de la main sur la vitre comme une vitrine épouvan-table. Il regardait passer les gens figés sur le quai, s'éloigner lentement et puis plus vite et plus vite encore, jusqu'au néant.

Soudain, le Soldat ouvre les yeux et regarde vers l'Ange d'un air défiant.

LE SOLDAT — Il n'est pas mort puisqu'il a écrit la lettre.

L'Ange — Combien de fois encore devra-t-il mourir pour que tu le comprennes ?

Le Soldat — J'irai le chercher.

L'Ange — C'est un ennemi ! Un ennemi !

Le Soldat — Je lui dirai que c'est fini. Qu'il peut retourner chez lui danser sur la colline. Je lui dirai que tout est fini, qu'il peut se reposer, que tout sera comme avant, que tout sera comme avant pour lui aussi, qu'il est libre, que je le laisse partir.

Des larmes coulent sur son visage.

L'Ange — Tu lui diras qu'il est libre de mourir et rien d'autre !

Le Soldat — Je lui dirai ce que je veux.

De plus en plus terrible, l'Ange parle comme s'il voulait punir le Soldat pour la mort de l'autre.

L'Ange — Tu ne lui diras rien puisqu'il est mort ! C'est un ennemi et il est déjà mort. La guerre tue toujours au seuil de la Patrie… et il est déjà mort jusqu'à la tombe. Au milieu de la nuit, quelqu'un l'a tué sans le lui demander.

Le Soldat — Non ! Il n'est pas mort. Il est libre. Il est parti, tout simplement. Un jour, il a laissé les choses derrière lui et puis il est parti. Il a écrit cette lettre tout juste avant de s'en aller.

L'ANGE — Il a écrit cette lettre tout juste avant de disparaître dans la boue. Maintenant il est entouré de morts et de bottines au fond de la tranchée.

LE SOLDAT — C'est pas vrai. Je sais qu'il est parti. Il est retourné chez lui. Il est à la gare au milieu des gens heureux.

L'ANGE — Non !

Le silence se fait lourd. Le Soldat le regarde sans savoir quoi faire. De ses mains, l'Ange se couvre le visage et puis, lentement, les laisse glisser jusqu'à ce qu'elles tombent le long du corps. Une profonde résignation envahit son regard.

Le train est passé. La gare était déserte. Il n'y avait que le vieux cheminot assis sous la cloche rouillée. Et le train est arrivé, il s'est arrêté et puis il est reparti. Elle était là, mais il n'y avait personne d'autre à la gare, sur le quai. Seulement le vieux cheminot sous la cloche rouillée. Et puis, de toute façon, ce n'était qu'un ennemi. Les soldats d'un même côté ne se connaissent pas. Mais ce n'est pas grave. Ceux de l'autre côté, ce sont les ennemis.

LE SOLDAT — Alors il faut le tuer ?

Courte pause.

Je vais le tuer ! C'est un ennemi !

L'ANGE — Il est déjà mort.

163

*Le Soldat jette la lettre par terre et la transperce
de la pointe de sa baïonnette.*

LE SOLDAT — C'est un ennemi ! Je vais le tuer. J'ai
entendu sa voix. Il disait que la victoire marchait à ses côtés.

*De plus en plus triomphal et violent. Il trans-
perce la lettre encore et encore.*

C'est un ennemi, c'est un ennemi, c'est un
ennemi.

La voix du Soldat retentit comme un marteau.

L'ANGE — Il est mort ! ! !

*Le Soldat se tait. Il reste figé un instant, comme
s'il venait de prendre conscience de la réalité
des choses.*

Il est mort. Il est mort.

*L'Ange essaie de se calmer. Il parle comme pour
s'excuser.*

Il est mort.

LE SOLDAT — C'est sa faute si le train est passé sans
s'arrêter. Quelqu'un lui avait dit de s'en aller,
mais il ne voulait pas. Il voulait être un héros et
il voulait mourir pour que tous s'en
souviennent.

L'ANGE — Il ne voulait rien. Il était là parce qu'il ne
savait pas comment ne pas y être et puis, ils

sont arrivés par derrière la lune au milieu de la nuit.

LE SOLDAT — Ben, si c'était un ennemi, c'est sa faute. C'était un ennemi.

L'ANGE — Et maintenant il n'est plus rien.

L'Ange respire profondément avant de continuer.

Sur le quai de la gare, le vieux cheminot a vu la femme qui l'attendait. Elle était silencieuse. Le train passait chaque jour et elle disparaissait sans un soupir et le vieux cheminot s'endormait à nouveau.

On entend à nouveau la musique du film héroïque.

LE SOLDAT — C'était un ennemi. Il était là, avec les autres, son fusil à la main. S'il vient par ici, je transpercerai son corps de mille baïonnettes. Je lèverai le drapeau, je prendrai la colline en héros solitaire !

Sa vision meurtrière teintée de fantaisie le plonge dans une extase qui frôle le vertige.

Dans un dernier élan il me demandera la vie, mais je le repousserai. Il ouvrira les yeux, grands, pour regarder sa mort et tombera à plat ventre et un bataillon triomphal marchera sur son dos !

Avec une ferveur systématique, le Soldat se déchaîne sur la lettre.

L'Ange — Il ne viendra plus.

Le Soldat s'arrête puis, il va s'asseoir sur la caisse.

On meurt beaucoup ces temps-ci. On se lève sur le jour comme un oiseau qui vit et on tombe, les genoux sur la terre, le dos brisé par la décharge furtive, la clameur anonyme, le poumon sans souffle, le sang... en débandade. On meurt beaucoup ces jours-ci et il ne viendra plus. Tu peux me croire. Il était là et il se demandait quand ça finirait. Il voulait tant s'en aller, être heureux comme avant. Il ne voulait pas mourir. Il voulait seulement que le temps passe vite et retourner chez lui. Chez soi.

Pause.

Tu n'avais pas le droit d'ouvrir sa lettre, mais c'est sans importance. L'importance disparaît quand tout s'arrête subitement, quand il ne reste plus de solutions pour les choses quotidiennes, quand les jours ne sont qu'un long souvenir au bout du compte, quand au milieu de la nuit, au centre de la nuit, il ne reste plus que le non-sens de la mort, plus que le long chemin de la mort infinie. Là-bas, de l'autre côté, au bout de la distance, le cheminot est mort lui aussi. Le quai de la gare désertée ne s'en souvient qu'à peine. La femme, elle, qui sait, peut-être qu'elle se souvient encore.

LE SOLDAT — Est-ce qu'elle l'attend toujours ?

L'ANGE — Non, elle est partie.

LE SOLDAT — Où ?

L'ANGE — Loin, très loin. Le dernier train est passé et puis, elle est partie pour toujours.

LE SOLDAT — Pourquoi ? Pourquoi elle ne l'attend plus ?

L'ANGE — Elle était là. Chaque matin elle était là. Le premier train passait et le deuxième et un autre et d'autres encore et elle était toujours là, debout sur le quai. Les trains s'arrêtaient puis continuaient et elle attendait toujours. Quand la nuit arrivait elle s'en allait lentement, seule, et disparaissait dans les ombres de la nuit, comme les morts.

LE SOLDAT — Et le cheminot, lui ?

L'ANGE — Lui, il était toujours là.

LE SOLDAT — Mais il est mort.

L'ANGE — Oui. Maintenant il est mort et les trains ne se sont plus arrêtés.

LE SOLDAT — Est-ce qu'elle reviendra un jour ?

L'ANGE — Non. Elle ne reviendra plus. Plus jamais.

Le Soldat — Et lui ?

L'Ange — Lui non plus. Il est resté au fond de la tranchée. On meurt beaucoup ces temps-ci et il ne reviendra plus.

Pause.

Ta lettre ne sert plus à rien.

Le Soldat — Ma lettre !

Il la cherche partout.

Ma lettre, où est-ce qu'elle est ma lettre ?

Il la trouve au fond de la boue. D'un geste tendre, il la nettoie. Le vent souffle, balayant le champ. Un avion passe en rase-mottes, obligeant le Soldat à se cacher derrière la caisse. Les bombardements recommencent, puis s'éloignent lentement. Le Soldat se lève, la lettre toujours à la main. Un coup de fusil résonne dans le champ. Le Soldat ouvre les bras. Sa main serre fortement la lettre qui se plie sous la force de ses doigts. Il reste un instant immobile, les yeux grands ouverts, la bouche ouverte. Puis, sa main laisse tomber la lettre. Il lève les yeux vers le ciel et demeure dans cette position pendant qu'on entend l'écho du coup de feu s'éloigner lentement, puis se perdre.

Non, ce n'est pas celle-là.

Puis, il s'assoit lentement. Il prend son fusil et le dépose sur ses genoux. Ses bras lourds descendent lentement le long du corps. Le bruit de la bataille recommence au loin, s'approchant peu à peu, jusqu'à envahir l'espace dans un éclat assourdissant. Le Soldat reste dans cette position jusqu'à ce que les explosions cessent.

L'AVION DE LA POSTE

*On entend un avion qui passe en rase-mottes.
Puis, le bruit sourd de l'écrasement, au milieu
des décharges de canons et d'armes automa-
tiques. Ensuite, on n'entend que le silence.*

*Le Soldat est assis sur la boîte de munitions.
Tout semble calme, lourd. Il est visiblement en-
nuyé, ne sachant que faire, puis, il marche en
enfonçant ses bottes dans la boue. Tout à coup,
il s'arrête. L'Ange l'observe. Le vent emporte trois
lettres de là où l'avion s'est écrasé. Il s'avance,
en prend une et retourne s'asseoir.*

LE SOLDAT — Il fait tellement froid quand on ne
peut pas s'en aller.

*Il ouvre la lettre. Il s'apprête à la lire à voix
haute quand soudain surgit un bruit de
mitraille. Il se couvre la tête de ses bras. Lorsque
la décharge cesse, il plie la lettre avec soin et ne
sachant où la mettre, il vide sa besace et la
dépose au fond. Puis, il range à nouveau les
objets qu'il avait sortis. Il aperçoit l'Ange qui le
toise. Sachant qu'il a pris une lettre qui ne lui
était pas destinée, il essaie de se donner bonne
conscience.*

Il y a des lettres partout. Il y a des gens qui
écrivent des lettres et qui ne savent pas où elles
finissent. Les avions de la poste sont remplis de

lettres pour tout le monde, mais elles n'arrivent pas toujours. Le gens s'envoient des lettres et quand ils les reçoivent, ils les lisent beaucoup. Même si ce qu'elles disent est presque la même chose pour tout le monde, les gens aiment ça, recevoir des lettres. En fait, n'importe qui peut recevoir la lettre de n'importe qui. Alors n'importe qui peut les lire et c'est pareil. Quand une lettre n'arrive pas, c'est parce que l'avion n'arrive pas ou parce que celui qui l'attendait n'est plus là.

L'Ange — Les lettres ont toujours un destinataire. Chacune est pour quelqu'un en particulier. Chacune d'entre elles est postée pour une personne précise. Les lettres ne sont pas des morceaux de papier pour n'importe qui.

Le Soldat — Qu'est-ce qui se passe avec les lettres qui n'arrivent pas ?

L'Ange — En général on les renvoie.

Le Soldat — Où ?

L'Ange — Là-bas, d'où elles sont parties.

Le Soldat — Oui, mais il y a des lettres qui ne peuvent pas retourner parce que le vent les emporte.

L'Ange — Des fois c'est comme ça.

Le Soldat — Qu'est-ce qui se passe avec les lettres que le vent emporte ?

L'Ange — Je ne sais pas.

Le Soldat le regarde sans comprendre.

Elles s'en vont au loin ou elles restent là, quelque part. Ou elles se défont peu à peu et retournent à la poussière. Comme nous.

Le Soldat — Mais on peut les lire ! ?

L'Ange — Non. Les lettres qui ne sont pas pour nous, on n'a pas le droit de les lire.

Le Soldat — Pourquoi elles se défont ?

L'Ange — Dans la boue tout devient noir et les lettres restent au fond de la tranchée et elles ne servent plus à rien. Les autres marchent sur les lettres et elles disparaissent au fond de la tranchée et personne ne s'en souvient.

Le Soldat — Alors si elles ne servent plus, on peut les lire, comme si elles étaient pour nous. Je n'ai jamais reçu de lettres moi. Comment c'est une lettre qui est pour nous ?

Doucement, l'Ange, d'une voix tendre. Il se parle, presque.

L'Ange — Une lettre, c'est comme un morceau de sentiment qu'on voudrait retenir longtemps, très longtemps. Le lire tellement de fois, jusqu'à savoir par cœur chaque petite syllabe du silence ancrée dans l'écriture. Au fond les lettres sont comme un petit morceau de sentiment

175

qu'on retient dans ses yeux et qu'on laisse se promener dans les recoins les plus éloignés de la mémoire. Ce sont de tout petits bouts de papier remplis de mots, comme nous remplissons de pensées les mots qu'on ne prononce pas au moment du départ. Un jour, on se réveille au loin et on s'aperçoit que les mots sont restés là, comme paralysés au fond de nous. On voudrait les laisser partir au vent, se promener entre les autres mots, dire ce que nous n'avons pas été capables de dire. Mais il est toujours trop tard. Au fond de nous, les mots qu'on n'a pas dits sont une prison vide.

Le Soldat le regarde, obnubilé. Il n'est pas sûr de comprendre. L'Ange parle avec entrain.

Dans une lettre, les mots résonnent comme des cloches. On voudrait les attraper, les retenir, les laisser nous habiter, comme on habite une maison. Dans une lettre, il y a des mots qui disent combien de jours et combien de nuits… et les mots s'entassent dans le papier et résonnent comme un chant qui se répète et les mots écrits restent en nous et les jours passent plus vite parce que les mots nous disent que la maison se souvient qu'on est encore là.

Le Soldat ressort la lettre, il la déplie et la regarde.

LE SOLDAT — J'aimerais tellement en recevoir une à moi !

Pause. Sans regarder la lettre qu'il porte dans ses mains. En lisant la lettre sa voix sonne faux, comme dans un mauvais téléroman.

« Cher papa, je suis très heureux de savoir que tu vas bien. Est-ce que je dois attendre encore longtemps avant que tu reviennes ? »

Pause, puis, indifférent.

Je n'ai pas d'enfants.

Il reste perdu dans ses pensées. Sa voix résonne doucement.

L'Ange tient une lettre entre ses mains.

L'Ange — « Mon tendre amour, les nuits sont si longues quand tu n'es pas là. Je me découvre à te parler, à faire comme si rien n'avait changé depuis ton départ. Ici, les denrées se font de plus en plus rares. Aujourd'hui j'ai trouvé trois œufs au marché. Tu aimes tant les œufs le matin ! En arrivant à la maison, je me suis dit que j'allais les préparer comme tu les aimes. Et puis, ce silence autour de tes choses, ta table de travail où la poussière s'accumule parce que je n'ai pas le courage de la nettoyer, tellement tu me manques. Vas-tu revenir bientôt ? Donne-moi de tes nouvelles, je t'aime tant… Écris-moi vite ! »

Son regard fige, les yeux perdus à l'horizon. Puis il continue sa lecture.

« Hier, je suis allée à la poste, voir si j'avais reçu une lettre. En fait, j'y vais tous les matins. Ça fait une éternité que je suis sans nouvelles de toi. Est-ce que tu vas bien ? Vas-tu revenir un jour ? Écris-moi. »

L'Ange laisse tomber la lettre et le Soldat court l'attraper. Puis il va s'asseoir sur la caisse en gardant la lettre entre ses mains. La lumière du jour s'en va et le ciel s'assombrit.

LE SOLDAT — La nuit on ne peut pas lire les lettres.

L'ANGE — C'est comme ça.

LE SOLDAT — Alors à quoi servent les lettres pendant la nuit, si on ne peut pas les lire. La nuit on est plus seul que le jour. Si on pouvait lire les lettres pendant la nuit on ne serait pas seul, mais si on les lit, ils nous voient. La nuit, les lettres, ça ne sert à rien.

Les bombardements recommencent. L'Ange disparaît.

Reste !

Les bombardements cessent.

Les anges, la nuit, ils ne servent pas non plus.

Il fait tourner la lettre entre ses mains. De plus en plus mélodramatique.

« Mon tendre amour… est-ce qu'il fait froid dans les tranchées ? »
Mais oui, il fait froid dans les tranchées.

Il pense à une autre lettre.

« Mon tendre amour… quand tu reviendras les enfants seront plus grands… »
Mais non, je n'ai pas d'enfants.

Pause.

Peut-être que c'est pour ça que je ne reçois pas de lettres. Comment je peux inventer des lettres si je n'ai personne pour m'écrire ? Je ne commencerai pas à m'envoyer des lettres moi-même ! ?

À l'Ange.

Si t'étais là tu pourrais m'aider à inventer une lettre. Mais t'es jamais là quand on a besoin de toi.

L'Ange réapparaît.

L'ANGE — À quoi ça te servirait ? Les lettres servent parce que quelqu'un pense à nous.

LE SOLDAT — Qu'est-ce que t'en sais ? Les anges ne reçoivent pas de lettres ! Et si on trouve une lettre, on peut la lire même si elle n'est pas pour nous parce que si la personne n'est plus là, elle est pour celui qui l'a trouvée. Et si on ne trouve pas de lettre, on peut s'en inventer une.

L'Ange — Oui. Mais cela n'arrange rien.

Le Soldat — Si tu ne reçois pas de lettres, tu t'en inventes une et c'est pareil. L'important c'est d'en avoir une lettre.

L'Ange — Tu refuses de comprendre. Tu as beau inventer tes propres lettres, tu n'en seras pas moins seul. Et que tu t'inventes une lettre ou que tu en prennes une au vent, c'est la même chose. Au fond, tu veux te donner bonne conscience parce que tu as pris une lettre qui ne t'était pas destinée.

Le Soldat — Peut-être que dans l'avion il y en avait une pour moi ?!

L'Ange — S'il y en avait une pour toi, tu l'aurais reçue.

Le Soldat — L'avion qui apportait le courrier a été abattu derrière les lignes ennemies puis, ils ont donné la charge.
Moi on m'a dit
— Reste là !
Eux, ils se sont avancés jusqu'à l'autre bout du champ et là, dans la carcasse de l'avion, ils ont récupéré les sacs de la poste. Ils étaient tout contents. Ça faisait des semaines qu'ils attendaient l'avion de la poste. Quand ils ont eu fini de répartir le courrier, la moitié des lettres est restée là, à côté des sacs, sans personne pour les lire.

— Trop tard
qu'ils ont dit.
— Trop tard. Si l'avion de la poste ne s'était pas
fait abattre derrière les lignes ennemies !
qu'ils ont dit.
— Maudites lettres !
qu'il disait l'officier.
— Maudites lettres de merde, maudit avion de
merde, maudits ordres de merde !
qu'il disait l'officier.

*À l'Ange, qui amorce un mouvement pour s'en
aller. D'un ton accusateur.*

Tu voudrais t'en aller, hein ? T'envoler je ne sais
où. Tu arrives et tu pars. Tu t'envoles dans la
nuit pleine de lumière pour toi tout seul et tu
me laisses là. Quand l'avion est passé juste au
dessus de moi, tu étais parti.

L'ANGE — Laisse-moi tranquille !

LE SOLDAT — Tu n'aimes pas entendre ce que je te
raconte. Tu sais tout mais tu ne veux pas savoir.
Va-t'en si tu veux, laisse-moi seul ! De toute
façon, tu vas partir et je vais rester ici et je me
parlerai à moi-même. Ne reviens plus. Je ne te
parlerai plus jamais ! Tu n'es qu'une image
emplumée, une peinture idiote, un néon qui
s'allume et qui s'éteint et qui ne sert à rien
d'autre qu'à faire que les choses ne soient pas
comme elles sont.

L'Ange — Laisse-moi tranquille ! Quand l'avion de la poste est passé en rase-mottes, je les ai vus courir moi aussi. C'est tout le temps pareil, d'un côté ou de l'autre. Les lettres, on les attend et on les attend et quand elles arrivent, il en reste plein qui ne servent plus. La moitié des lettres ne servent plus à rien, là, à côté des sacs. Les lettres s'enfoncent dans la boue, comme les bottines de ceux qui ne sont plus. Moi aussi j'aurais aimé recevoir une lettre.

L'Ange reste un instant muet, la respiration entrecoupée.

Et puis, le vent se met à les disperser dans le champ comme s'il cherchait à qui les donner. Les lettres s'envolent d'un corps à l'autre, mais il n'y a plus personne pour ces lettres-là. Des lettres blanches qui flottent comme des nuages, comme de beaux nuages blancs et le vent les emporte. Un grand champ et des lettres partout, à côté des corps, s'envolant, comme des croix.

L'Ange disparaît dans la brume.

Pause. Le Soldat regarde le lieu d'où l'Ange a disparu.

Le Soldat — Tu aurais pu leur dire qu'ils allaient se faire tuer, non ? !
— Trop tard.
qu'ils ont dit.

— Trop tard.

L'Ange réapparaît lentement, sortant de la brume épaisse. Il est sur un autre poteau. Un silence lourd envahit le lieu. Il regarde le Soldat pendant que la lumière du jour s'installe progressivement.

L'Ange — C'est étrange comme le silence peut occuper la place du son et rester là, longtemps, comme un monde arrêté en plein mouvement...

Il amorce un mouvement dans l'espace, comme un vol, puis il reste immobile, en équilibre sur un seul pied. Le Soldat le regarde sans comprendre.

... prêt à continuer et pourtant, arrêté, seul, avec le mouvement intérieur ou le silence. Et tous ces corps. Pourquoi? Dis-moi, dis-moi pourquoi? Pourquoi est-ce que les choses doivent se passer de cette façon? Je ne comprends pas. Non, je ne comprends pas. Et tu es là. Tu restes là et tu ne t'en vas pas. Pars, s'il te plaît. Pars!

Le Soldat s'assoit.

Le Soldat — J'aimerais pas être ici moi.

L'Ange — Alors, pourquoi tu restes là?

Le Soldat — Je ne peux pas m'en aller.
— Reste là! — Reste là!
qu'ils ont dit.

— Reste là !

Et je suis là et j'y reste. C'est tout. Qu'est-ce que tu sais toi ! Je suis là parce que je suis là, un point c'est tout. Et tu es là et tu n'es pas là et ça m'est égal !

L'ANGE — Tu parles tout le temps, tu te fâches, tu cries, mais tu ne te poses même pas de questions à savoir pourquoi les choses sont comme elles sont. Je suis fatigué de t'entendre. Si tu ne veux pas être là, alors pars.

LE SOLDAT — Ne me dis pas ce que je veux. Tu ne sais pas toi non plus. Tu te promènes avec ton air d'ange incrédule, avec ton visage d'ange et ton sourire d'ange comme une grimace et du haut de ta gloire, tu jettes ton regard sur le monde et tu restes là, immobile, en attendant. Et puis tu parles et tu parles et tu parles encore sans rien dire. Tu te donnes des airs comme si tu étais un... un Dieu. Mais tu n'es rien. Ne viens plus me dire ce que je dois faire.

L'ANGE — Qu'est-ce que tu sais de moi ? Qu'est-ce que tu sais de moi ? !

LE SOLDAT — De toi, je ne sais rien. Tout ce que je sais, c'est que quand l'avion de la poste est tombé et que les lettres se promenaient dans le champ, je t'ai cherché, je voulais voir ton visage, tes yeux et la grimace de ta bouche, ton visage d'ange immaculé, ton sourire d'ange idiot. Je voulais te voir quand les corps se tordaient sur le sol, s'enfonçant de plus en plus dans la boue. Je voulais que tu sois là, au milieu de la boue, enfoncé dans la boue. Je voulais voir tes ailes enfoncées comme les lettres dans la boue. Tes ailes dans la boue... et que le vent les emporte entre les morts et que tes ailes restent clouées à la boue comme des croix. Oui, tes ailes, comme des croix à côté des corps, inutiles, comme ces lettres qui se promenaient au vent entre les corps. Et tes ailes dans la boue et toi, avec une grimace immense, toi, oui toi, cloué à la boue pour toujours. Tu sais... ? Non, tu ne sais rien. Les anges comme toi ne savent rien du tout, ils ne servent à rien. Les anges comme toi ne servent à rien. Les lettres se promenaient entre les corps. Le vent les emportait, blanches, oui, blanches et elles volaient comme des ailes qui volent, elles volaient et les corps s'enfonçaient encore dans la boue.

L'Ange commence à disparaître.

Reste là ! Maintenant, tu ne peux pas t'en aller !

Accusateur. En criant comme un désespéré.

Tu n'étais pas là. Tu ne voulais pas les voir. Les corps s'enfonçaient dans la boue et tu ne voulais pas les voir. Moi, j'y étais !

Pause.

Va-t'en ! Laisse-moi seul.

185

Pause. L'Ange disparaît.

De toute façon, que tu restes ou que tu t'en ailles, ça m'est égal. Je ne te parlerai plus.

Il sort à nouveau sa cigarette. Il craque une allumette, la regarde se consumer puis range sa cigarette.

Où es-tu ?

Il cherche l'Ange partout.

Où es-tu ?

À lui-même.

Merde !

S'énervant de plus en plus.

Laisse-moi pas tout seul. Reviens !

Les bombardements éclatent au loin. Les balles sifflent au-dessus de sa tête.

Oh, non, pas encore !

Les explosions se font de plus en plus menaçantes et les balles ricochent autour de lui.

Arrêtez ! Arrêtez ! Arrêtez !

Il essaie de se protéger derrière la boîte de munitions, couvrant sa tête de ses bras.

Arrêtez, merde !

La bataille cesse subitement. Il se lève, songeur, étonné, et regarde en direction des lignes de front.

Tout à coup, une détonation de fusil retentit dans le champ. Lui, dans le même geste que toujours, geste automatique et instinctif, se met debout et reste un instant immobile, les yeux grands ouverts, la bouche ouverte, le fusil dans la main droite, le bras gauche allongé, la main gauche ouverte et rigide. Il demeure dans cette position, longuement, pendant qu'on entend l'écho du coup de feu s'éloigner lentement puis se perdre. À l'arrière, les façades semblent plus lugubres et abandonnées que jamais. Une cohorte de réfugiés, fuyant les bombardements, traverse l'espace. Ils portent des valises. Un homme tient sur son dos courbé un vieux matelas enroulé. Le groupe disparaît par les trous qui, jadis, étaient des portes. Le Soldat s'assoit, lentement, laisse tomber son fusil, les bras lourds, abandonnés le long du corps. À une fenêtre, apparaît la silhouette d'un musicien jouant du violoncelle.

Non, ce n'est pas celle-là.

Le bruit de la bataille recommence au loin, s'approchant peu à peu, jusqu'à envahir l'espace dans un éclat assourdissant. Il se couvre la tête avec les bras et reste dans cette position jusqu'à ce que les explosions cessent.

LA LUMIÈRE

L'Ange apparaît, assis sur un des poteaux. Sa voix sonne d'un ton tragique et lourd. On l'entend proche du Soldat, quasi humaine.

L'Ange — On m'avait dit que la mort était comme une tache obscure qui s'approche lentement. Des fois, je me demande si c'est possible de partir, de laisser derrière soi tout l'important. Je me demande si c'est possible de mourir sans être mort. Se laisser exister ou se défaire des objets pour regarder le quotidien des choses qui passent, sachant que tout ça n'a aucun sens. Tout est pareil. Je me demande pourquoi les jours se suivent et s'accumulent. En moi, la lumière et la nuit ne sont qu'une seule réalité. Tout est pareil ! Je reste ou je pars. Je vais d'un lieu à un autre, sachant que dans la vie tout est éphémère et mortel, que ce que les autres font maintenant ne sert qu'à user le temps jusqu'au néant. Être là pour créer un espoir, pour découvrir quelque chose, quelque part dans la ville, une espérance égarée qui aide à exister encore un peu. Et encore un peu.

Au Soldat, qui le regarde du coin de l'œil.

Sais-tu pourquoi les jours sont si longs ?

Le Soldat ne lui répond pas.

Parfois j'ai peur. Moi aussi j'ai peur. Je suis là et j'attends. C'est si long d'attendre quand il n'y a rien à attendre. Le temps est là autour de moi et je suis au milieu du temps et tout est noir, comme la nuit. Être là, sans savoir où. Être dans l'espace infini de l'éternité et se savoir là, nulle part, parce qu'on n'est plus.

Le Soldat — Moi, je sais que je suis ici. Je sais aussi que quelqu'un d'autre était ici avant moi. J'aime pas beaucoup ça, ici. Mais c'est pas nulle part ! Je suis moi et je suis ici !

L'Ange — Être ou ne pas être, ça n'a plus d'importance.

Le Soldat — Moi, on m'a dit...
— Reste là ! C'est très important !

L'Ange — Oui. Et après ? Regarde-moi ! Et après ?

Le Soldat — Et après quoi ? Qu'est-ce que tu sais ? Tu ne comprends rien ! Chaque fois que...

L'Ange — Arrête ! Je ne veux plus t'entendre !

L'Ange cache son visage entre ses mains. Il pleure. Son corps tremble presque imperceptiblement pendant que le Soldat le regarde ébahi, puis, d'une voix à peine audible, il se met à chanter.

Le Soldat — Malbrought s'en va en guerre, mironton, mironton, mirontaine. Malbrought s'en va en guerre...

Peu à peu l'Ange se ressaisit et voit le Soldat qui le regarde.

L'ANGE — C'est ça, reste là, comme un imbécile, en attendant que l'obscurité vienne te chercher, que le trou devienne complètement noir.

LE SOLDAT — Qu'est-ce que tu sais de l'obscurité, toi ?

L'ANGE — Plus que tu ne l'imagines. La nuit est une longue suite d'absences, un puits au fond duquel la lumière s'évanouit.

LE SOLDAT — Tu es supposé être dans la lumière. Tu es même supposé être la lumière.

L'ANGE — La lumière... Vous autres vous parlez toujours de la lumière comme si c'était quelque chose de facile à comprendre. Mais en réalité, vous ne savez rien de la lumière. Ce n'est qu'une illusion... Vous croyez que l'obscurité se trouve autour de vous et tout à coup vous décidez qu'il y a une lumière et qu'elle viendra vous prendre.

Moqueur.

Vous croyez qu'elle est une porte merveilleuse avec un chœur de voix infinies chantant à l'unisson.

LE SOLDAT — La lumière c'est toi. Si tu ne veux pas être la lumière c'est ton problème, pas le mien. Moi mon problème c'est l'obscurité.

L'Ange — Tu ne sais pas ce qu'est l'obscurité. L'obscurité c'est la nuit partout. Une nuit si intense qu'elle vient te prendre, t'enfermer, te laisser figé au fond du puits. La nuit est partout, jusqu'à l'intérieur de toi. Une nuit qui te ronge. Elle se promène en dedans de toi et laisse des petits morceaux de nuit, des bouts d'obscurité dans tes entrailles. Et tu prétends savoir ce qu'est l'obscurité de la nuit ? ! Au fond de la nuit se cache la plus profonde des noirceurs. Tu parles, mais tu ne sais pas de quoi tu parles.

Le Soldat — Tais-toi ! Toi non plus tu ne sais pas de quoi tu parles. Tu ne fais que dire des conneries. La lumière c'est une chose et l'obscurité c'en est une autre. Moi je sais ce que c'est, et je sais que la lumière c'est toi !

L'Ange — L'obscurité totale de la nuit, vous ne savez pas ce que c'est. Vous ne savez pas ce qu'est l'obscurité jusqu'à la plus profonde existence de la nuit à l'intérieur de moi !

Le Soldat — L'obscurité, l'obscurité, l'obscurité ! T'étais où pendant la nuit ? !

L'Ange rit aux éclats.

L'Ange — Je suis la nuit !

Le Soldat — Non, tu n'es pas la nuit ! La nuit, elle était là et toi tu n'y étais pas. Moi j'y étais. J'étais là et la nuit était partout.

Il se lève et marche d'un lieu à un autre.

Par là et par là et par ici et là-bas. Partout les bruits de la nuit. Partout les mouvements de la nuit. Partout les voix de la nuit qui disaient
— Vite par ici !
— Non. Là-bas !
— Vite, vite, vite !
— Et lui ?
— Non. Pas lui ! Pas lui !
— Eeeeeeh ! Eeeeeeeeeh ! !
— Vite !
Ils couraient, couraient, couraient, partout
— Ahhhh ! Ahhhh !
et les autres couraient, couraient, couraient
— Vite !
— Non. Pas lui ! Pas lui !
— Eeeeeeh ! !...   Eeeeeeeeeeeeh ! ! !
Eeeeeeeeeeeeeeeeeh... ! ! !
et je voyais les ombres de la nuit, j'entendais les cris, j'entendais les ordres et encore les cris au milieu des ordres et les ordres au milieu des cris.

Courte pause.

Ils étaient là-bas, enfoncés dans la boue. Ça c'est la nuit. Elle était partout autour de moi et toi tu n'étais pas là !

L'Ange — Je suis la nuit... ! ! ! J'habite. Et les bottes vides dans la boue et les lettres vides aussi, à côté, dans la boue. L'obscurité c'est moi !

Le Soldat — Non ! ! !

195

Se laissant gagner par l'angoisse.

Tu n'étais pas là ! J'étais là et la nuit était autour de moi tout le temps. Toute la nuit était autour de moi... sauf toi. Toi, tu n'y étais pas ! Tu - n'y - étais - pas ! ! !

Long silence. La tristesse envahit les yeux de l'Ange. L'angoisse qui s'accumule sur le visage du Soldat lui pèse lourd sur la conscience.

L'ANGE — Excuse-moi. Il y a des choses que tu ne peux pas comprendre. Pour toi la nuit et la lumière sont différentes et moi je suis là, à l'endroit où tu ne peux comprendre pourquoi la lumière n'est pas différente de la nuit. Pourquoi elles sont la même chose. Je voudrais ne pas être là. Mais je n'ai pas le choix.

LE SOLDAT — Ça va durer longtemps ?

L'ANGE — Quoi ? Ma nuit ?

LE SOLDAT — Non. La nuit ça dure toujours pareil. Je sais combien ça dure la nuit.

L'ANGE — Si tu veux.

LE SOLDAT — La guerre, elle va durer encore longtemps ?

L'ANGE — Oui et non.

LE SOLDAT — Je ne comprends pas. Elle peut durer ou elle peut ne pas durer, mais ça peut pas être les deux choses à la fois.

L'Ange — Oui. Elle peut durer pour les uns et soudain s'arrêter pour les autres.

Le Soldat — Et pour moi ?

De toute évidence, l'Ange évite de lui répondre.

L'Ange — La bottine que tu as trouvée, elle était là depuis longtemps. Elle ne savait plus ce qui se passait autour d'elle, mais tu l'as retrouvée. Depuis, la guerre a recommencé.

Le Soldat — Tu l'aimes ma bottine ?

Le Soldat reste un instant immobile, puis, s'apprête à enlever la bottine trouvée dans la boue.

L'Ange — Ne fais pas ça !

Le Soldat — Qu'est-ce qui te prend de crier comme ça ? ! Depuis quand tu me donnes des ordres ? Si je veux l'enlever je l'enlève et si je ne veux pas, je ne l'enlève pas.

L'Ange recommence à chanter un psaume. Sa voix résonne avec une douceur et une tristesse immenses. Le Soldat, qui a recommencé son geste pour enlever la bottine, s'arrête, intrigué.

L'Ange — S'il te plaît, ne fais pas ça !

Ils se regardent. Le Soldat commence à nettoyer la boue sur la bottine.

En regardant la bottine.

Le Soldat — Qu'est-ce que tu sais de lui ?

L'Ange — De qui ?

Le Soldat — De lui.

L'Ange — Je ne sais pas de qui tu parles.

Le Soldat — Fais pas l'idiot.

Pause.

Tu penses qu'il était marié ?

L'Ange — Comment veux-tu que je le sache ?

Le Soldat — Peut-être qu'il est déjà chez lui. Où est-ce qu'il habite ?

L'Ange — Tu me fatigues.

Le Soldat — Et toi t'es un égoïste. Tu te donnes des airs, mais en réalité t'es qu'un petit vaurien.

L'Ange — Il est parti.

Le Soldat — Qui ?

L'Ange — Lui.

Le Soldat — Ah.

Pause.

Où ?

L'Ange — Il est parti. C'est tout.

Le Soldat — Oui... mais...

L'Ange — Il est parti, c'est tout ! Pourquoi dois-tu poser autant de questions ? Tu ne peux pas te contenter de savoir juste un peu ?

Le Soldat — Pourquoi ? Je sais beaucoup de choses moi.

Il commence à fabuler.

Lui, un jour on lui a dit
— Tu vas là et tu restes là !
Sa sœur était toute petite quand il est parti. Il ne voulait pas venir ici, mais il n'avait pas le choix.
— Tu vas là et tu restes là !

Il parle de plus en plus vite.

Sa sœur lui avait dit de faire attention, de faire très attention « parce que je suis petite et que tu t'en vas et moi je suis toute petite parce que je suis ta sœur » et il lui avait dit de ne pas s'inquiéter « parce que » et sa sœur s'est mise à pleurer et lui « ne pleure pas, la dame d'à côté est très gentille et tu vas voir que je vais revenir bientôt je te le promets juré craché croix de bois croix de fer si je mens je vais en enfer » et le camion est parti et sa sœur est restée là « ne pleure pas » qu'il criait et le camion est parti. Lui il ne voulait pas y aller, mais il n'avait pas le choix.
— Tu vas là et tu restes, là ! Quelqu'un doit être là. Tu vas et tu restes là !
C'est ça qu'ils lui ont dit.

L'Ange — Qui ?

Le Soldat — Eux. Qui veux-tu que ce soit ? Pour eux c'est facile. Ils n'ont qu'à donner des ordres.
— Tu vas et tu restes là !
qu'ils lui ont dit.

Il revient à la bottine.

Quand j'ai trouvé la bottine, au début, j'ai eu peur. Je croyais que ça pouvait être une... tu sais, ils disent que par ici, dans la boue, il y a beaucoup de bombes qui n'ont pas explosé.

Pause.

Tu dois savoir beaucoup de choses toi. Tu pourrais me dire où elles sont, comme ça je pourrais m'en aller et peut-être que personne ne s'en rendrait compte. Tu as dit que si on était là ou que si on n'était pas là c'était pareil. S'ils me demandent pourquoi je n'étais pas là, je pourrai leur dire que tu m'as dit que c'était pareil et ils ne pourront rien me dire parce que tu es un ange et qu'on doit faire ce que disent les anges.

Pause.

Oui mais... peut-être qu'ils vont encore me dire
— Reste là ! Reste là et ne bouge plus, imbécile !
et qu'ils ne croiront pas que tu étais là et que tu me disais de m'en aller et peut-être qu'ils vont me dire qu'ils vont me fusiller et alors c'est

mieux que je reste ici tout le temps et que je m'en aille pas.

Dans le lointain, les explosions recommencent. Elles se rapprochent. Le Soldat regarde nerveusement de tous les côtés et finalement pose sur l'Ange un regard insistant.

Dis-moi quelque chose. Parle !
Dis-moi quelque chose ! Merde !

En criant.

Reste pas là comme une statue de sel, dis-moi quelque chose ! ! !

Les bombes commencent à éclater tout autour. L'Ange disparaît.

Reviens, ne me laisse pas tout seul.

En criant.

Merde de merde d'ange de merde ! ! !

Vers le lieu où éclatent les bombes.

Et vous, qu'est-ce que vous me voulez ?

Une bombe éclate tout près. Il crie vers le lieu où l'Ange a disparu.

Reviens, ne me laisse pas tout seul, reviens…

Une épaisse fumée rouge envahit les lieux. Les éclats de lumière des nouvelles explosions la rendent parfois jaunâtre. On ne voit plus que la fumée. Les explosions cessent et lentement la brise emporte la fumée. La voix de l'Ange se laisse entendre, doucement. Il chante. Quand la fumée disparaît, l'Ange est assis sur la caisse de munitions. En toussant, les yeux dérangés par la fumée âcre.

Où es-tu ? Tu m'as encore laissé tout seul. Si je pouvais je te prendrais avec mes mains, je t'étranglerais…

En faisant le geste, il s'emporte et alors le possible devient réalité.

…et je serrerai si fort et j'enfoncerai ton corps dans la boue et à ce moment-là, tu resteras dans la nuit, au fond de la boue pour toujours.

Pause. Il regarde les fenêtres, cherchant l'Ange avec insistance.

Tu m'as trahi. Tu m'as encore laissé tout seul et tu t'es sauvé comme un oiseau de malheur qui s'enfuit quand la vie est là, en attendant quelque part que la mort arrive, comme un oiseau noir qui ne revient que lorsque la mort est là. Tu es là, dans l'obscurité comme un chien affamé qui attend la mort des autres. Tu es parti et tu m'as encore laissé seul.

Il voit l'Ange sur la caisse tout près de lui et sursaute. L'Ange est accroupi.

L'Ange — Non. Je ne suis pas parti. Je me suis seulement rapproché un peu.

Le Soldat ne sait que faire. Il est inquiet. Il regarde vers le poteau où se trouve habituellement l'Ange et de toute évidence il ne comprend pas comment il a pu apparaître si près de lui. Il sort la cigarette, craque une allumette et soudain, l'éteint. Il offre sa cigarette à l'Ange.

LE SOLDAT — Excuse-moi.

Il range la cigarette.

L'ANGE — Ce n'est rien.

Le Soldat, craintif, ne sait pas quoi faire. Il s'assoit sur la caisse à côté de l'Ange.

LE SOLDAT — Je ne t'en veux pas. Des fois je t'en veux, mais en réalité...

L'Ange s'apprête à parler, mais le Soldat l'arrête avant qu'il ne prononce le premier mot.

Non ! Ne dis rien. Chaque fois que tu parles je doute que tu sois vraiment là.

L'ANGE — Ça c'est ton problème.

LE SOLDAT — C'est le tien aussi. Si tu ne partais pas chaque fois qu'il se passe quelque chose !

L'ANGE — Si tu ne restais pas là, planté comme un clou, en attendant !

LE SOLDAT — Qu'est-ce que tu veux dire ? Si je reste là, c'est parce qu'on m'a dit de rester, pas parce que je veux.

L'ANGE — Si tu ne veux pas être là, va-t'en ! Pars !

LE SOLDAT — Oui, « va-t'en, va-t'en ! Pars et ne reviens plus ! » Ça tu l'as déjà dit. Où veux-tu que j'aille ?

L'Ange ne lui répond pas.

C'est facile à dire de s'en aller, mais tu ne comprends rien aux ordres. Les ordres, on les donne pour qu'on les suive, pas pour faire ce qu'on veut avec. Et puis, qu'est-ce que tu sais de tout ça ! Je sais pas pourquoi je perds mon temps à parler avec une sorte d'oiseau sorti on sait pas d'où.

L'ANGE — Les ordres, on les donne pour que les soldats comme toi restent là, jusqu'à ce qu'ils ne soient plus là.

LE SOLDAT — Tais-toi.

L'ANGE — C'est ça. Fais la sourde oreille. Reste là, à ne rien te demander. Reste là sans penser pourquoi tu es là, jusqu'à quand, en attendant quoi ou qui. Ou quelle balle, ou quelle détonation sera la dernière. Dans l'infini univers de la pensée, il n'y a de place que pour ceux qui regardent autour d'eux avec un regard serein. L'esprit des autres s'égare dans les méandres de la peur.

LE SOLDAT — Et bla et bla et bla et bla ! Commence pas à m'énerver avec tes phrases savantes.

L'ANGE — Si tu préfères je peux m'en aller.

LE SOLDAT — Fais ce que tu veux.

Pause.

Tu sais ce que je pense ?

L'ANGE — Non. Comment veux-tu que je le sache ?

LE SOLDAT — Alors je vais te le dire. Écoute-moi bien espèce d'image de foire, gros toutou emplumé, parce que je te le dirai qu'une seule fois, une seule et unique fois, tu m'entends ? !

L'ANGE — Vas-y, dis-le. Arrête de tourner autour et dis-le une fois pour toutes et qu'on en finisse.

LE SOLDAT — C'est bien. Tu l'auras voulu.

D'un air solennel.

Ce que tu fais, c'est pas bien !

L'Ange le regarde, incrédule.

L'ANGE — C'est tout ?

LE SOLDAT — Oui. C'est tout.

L'Ange rit aux éclats. Le Soldat, criant de toutes ses forces.

Tu devrais pas être ici. T'as pas le droit de venir te mêler de nos affaires. Retourne dans tes nuages. T'as rien à faire ici. Qui t'es ? Pourquoi tu t'acharnes à rester autour de nous ?

L'Ange — Tu veux vraiment le savoir ? !

Le Soldat — Laisse-moi tranquille.

L'Ange — Tu as peur.

Le Soldat — J'ai peur de rien !

L'Ange — Oui ! Tu as peur de moi !

Le Soldat — De toi ? !

Il est clair que, dans l'esprit du Soldat, les questionnements se succèdent sans qu'il trouve la moindre réponse. Troublé, il essaie de cacher ses sentiments.

L'Ange — Oui, de moi.

Le Soldat — Arrête.

L'Ange — Pourquoi ?

Le Soldat — Parce que.

L'Ange — Tu ne régleras rien de cette façon.

Le Soldat — C'est pas tes affaires.

L'Ange — Peut-être, mais…

Le Soldat — Va-t'en ! Va-t'en, tu m'entends ? Va-t'en !

L'Ange — Tu as peur.

Le Soldat — Non. Tu crois tout savoir, mais en réalité tu ne sais rien, rien du tout.

L'ANGE — Je sais que tu as peur. Tu as peur de ce que je représente, de ce que je suis... et de ce que je ne suis pas.

LE SOLDAT — Va-t'en !

L'ANGE — omme tu voudras.

Il se lève et commence à s'en aller.

Un avion passe en rase-mottes.

LE SOLDAT — Attends... ! Ne t'en vas pas... reviens... reviens... laisse-moi pas tout seul... reviens...

L'Ange continue à s'en aller, impassible. Le Soldat, dans un geste vif et instinctif, se couvre la tête et reste dans cette position. Les bombardements recommencent dans le lointain. La fumée des explosions envahit à nouveau l'espace autour de lui. Les cris des blessés et les ordres s'entrecroisent dans un chaos total. Les explosions éclatent de partout puis se font moins fréquentes, s'éloignant jusqu'à disparaître. Les voix se sont éteintes. Le silence revient. Le vent emporte la fumée et la silhouette du Soldat se fait de plus en plus visible. L'Ange a disparu. Le Soldat se lève et avance lentement, le fusil en position de tir, en pointant sans savoir ni où ni quoi. Un coup de fusil retentit dans le champ. Dans le même geste automatique et instinctif que toujours, il se redresse, les yeux grands ouverts, la bouche ouverte, le fusil dans la main droite, le bras gauche allongé, la main gauche ouverte et rigide. On entend l'écho du coup de feu s'éloigner lentement puis se perdre encore au loin. Sa voix s'élève faiblement.

Non, ce n'est pas celle-là.

Il s'assoit, les bras ballants.

LE VOL DES AUTRES

Lentement la nuit s'accapare du lieu. Le Soldat
ne bouge pas. On entend une note de violon qui
s'étire douloureusement, qui pénètre chaque
interstice, qui habite chaque recoin, qui
s'accroche aux décombres comme une longue
litanie qui pleure la mort avant qu'elle ne
survienne. Une fillette traverse l'espace. C'est elle
qui joue du violon. Puis elle disparaît par la
porte détruite d'un des édifices. Dans une fenê-
tre se démarque peu à peu la silhouette d'un
homme assis jouant du violoncelle. D'autres
musiciens apparaissent dans le cadre des autres
fenêtres. Une femme joue de l'alto, deux autres
jouent du violon. La note du premier violon
s'étire pour se transformer en un quatuor.
L'Ange s'approche du Soldat et s'arrête à quel-
ques pas de lui.

Le Soldat — Quand tu pars, est-ce que tu me
laisses seul ? Je n'aime pas être tout seul ici.

L'Ange ne lui répond pas.

Pourquoi tu pars ? Tu veux pas me répondre
parce qu'on t'a dit de ne rien raconter, c'est
bien ça ? Je comprends. Il y a des choses qu'on
peut pas dire à tout le monde. Moi par
exemple, il y a des choses que je raconte à
personne. Rien qu'à moi-même. Mais toi c'est
différent. Je suis sûr qu'il y a des choses que tu

211

peux pas dire parce que t'es un ange et si les anges se mettaient à tout dire à tout le monde, on les laisserait plus sortir de là d'où tu viens. Est-ce que c'est très loin, là d'où tu viens ? Est-ce que tu voles très haut ?

L'Ange reste muet. Les questions du Soldat le dérangent visiblement, même s'il s'efforce pour que la transparence de ses sentiments troublés restent au plus profond de son secret.

L'autre fois, moi aussi j'avais des ailes et je pouvais voler. J'étais assis ici sur la boîte et je regardais le ciel. Au début il n'y avait personne d'autre. On aurait dit que tout était fini, tellement rien ne bougeait. Pas de voix, pas d'ombres, pas d'ordres. Rien. Rien que le ciel bleu, comme dans les films. Je l'ai tellement regardé fort que j'avais mal aux yeux. Il y avait même pas de nuages. Rien. Rien du tout. Et tout à coup j'étais là-haut et les choses, en bas, étaient toutes petites.

Il continue en parlant comme s'il était en haut.

Le champ était loin, très loin, en bas. Après, il y avait des gens qui marchaient, mais ils restaient à la même place. Tu sais, c'est comme si tu regardais une petite fourmi de loin. Même si elle marche, elle est si petite qu'on dirait qu'elle est toujours à la même place. Alors j'étais là-haut et les gens marchaient mais ils restaient à la même place, comme les fourmis.

212

L'Ange le regarde sans rien dire. Le Soldat se laisse entraîner dans ses propres paroles, comme dans un rêve ou une ivresse agréable et soudaine. Ses yeux se remplissent d'images, comme un enfant émerveillé qui se retrouve pour la première fois face à un écran de cinéma.

Après les gens se parlaient. Ils se disaient des choses mais leurs voix n'étaient qu'un gros silence.
— Heeeeeeiiiiii………

Il écoute son propre cri à peine murmuré, comme un écho qui se perd au-delà des lignes.

— Heeeeeeiiiiii……… est-ce que je peux y aller………?
— Ouiiiiii……… vas-y………
— Il faut que j'aille…
— Je sais……… Ça fait longtemps que t'es là………?
— Ouiiiiii……… C'est long……… Je peux y aller………?
— Vas-y……… mais fais attention……… si je te vois, je tire………

Pause. Il revient à la réalité.

Tout semblait pareil, chacun de son côté, avec ses balles et sa baïonnette. Ils étaient là et là…

Il pointe n'importe où.

et ils se regardaient, mais ils se voyaient pas. Moi non plus, ils me voyaient pas. J'étais au centre du champ, mais ils me voyaient pas.

Il reprend sa fabulation.

J'étais avec ma boîte de munitions et mon fusil au milieu du champ et personne ne me voyait. Les voix, elles se parlaient d'un côté et de l'autre, mais de là-haut, elles se taisaient et tout restait comme un gros silence. Je les voyais, petits, et les balles ne pouvaient plus m'atteindre.

Il retourne à la réalité.

Quand on est ici, les balles sont là pour vrai. C'est pour ça que j'aime être là-haut. Toi non plus t'aimes pas quand ça commence à tirer de tous les côtés et alors tu pars et tu ne reviens que quand c'est fini. C'est ça, hein ?

L'ANGE — Peut-être. Je ne sais pas.

LE SOLDAT — Mais oui tu sais. Quand les explosions commencent, les bombes et les tirs de mitraillettes, et que les ombres sont là et que les avions passent tout près comme s'ils allaient te couper la tête, t'es pas là. Et si t'es pas là, ça veut dire que t'es parti. Et si t'es parti, t'es là-haut avec d'autres anges comme toi et vous nous regardez de là-haut. Est-ce que nous sommes tout petits quand vous nous regardez d'en haut ?

L'Ange — Quand je ne suis pas ici, je ne suis nulle part.

Le Soldat — Oui, tu l'as déjà dit. C'était parce que t'étais fâché que tu disais ça. Mais il faut bien être quelque part et si t'es pas ici, t'es là-haut.

L'Ange — Non, je ne suis nulle part.

Le Soldat — Toi aussi on te donne des ordres ?

L'Ange — Je ne suis jamais là-haut.

Le Soldat — Quand tu t'en vas là-haut, c'est parce qu'on te dit de t'en aller et de me laisser tout seul ?

L'Ange le regarde avec un certain mépris.

L'Ange — Qui ?

Le Soldat — Ceux qui te donnent des ordres. Il y a toujours quelqu'un pour donner des ordres.

L'Ange — Je ne sais pas.

Le Soldat — Est-ce que tu vois les gens petits, en bas, toi aussi ? Ce que j'aime là-haut c'est qu'il n'y a pas de choses. L'espace est pas rempli. On peut tout simplement vivre, sans avoir besoin de rien. On n'a même pas faim et on dirait que tout est rond et comme il n'y a pas de choses, on peut voler partout. Des fois, c'est difficile de retourner en bas.

L'Ange — Partir, rester… La vie est comme un long retour vers nulle part. Le retour est seulement possible quand il y a un point de départ et un point d'arrivée, et au milieu des rêves...

LE SOLDAT — Là-haut, il n'y a que l'espace rond. Quand on vole, on est libre. Là-haut, c'est plaisant d'être seul. Je suis comme attaché à moi-même, alors je peux pas tomber et je sais que c'est moi, mais je suis loin de moi. Tu comprends ?

L'ANGE — Non, je ne comprends pas.

LE SOLDAT — Ben... c'est facile. Je suis moi mais je suis loin de moi puisque que je suis là, en haut. Là-haut, on n'est jamais seul comme ici. Ici, quand on est seul, c'est qu'il n'y a personne près de nous.

L'ANGE — Si tu vas là-haut, c'est parce que tu ne sais pas quoi faire ici. Ici les choses ne finissent pas, elles continuent, elles sont un mouvement perpétuel. Ici les choses sont la prolongation de ce que nous faisons, ou de ce que nous ne faisons pas. La vie laisse toujours la place à la naissance de nouvelles vies. Un jour nous sommes là et le lendemain on n'y est plus. Quelqu'un d'autre prend notre place et personne ne s'en souvient. Et les jours continuent.

LE SOLDAT — Pour moi tout est toujours pareil.

L'ANGE — Tout change.

LE SOLDAT — Moi on me dit quoi faire et je le fais et tout est pareil et rien ne change.

L'Ange — Nous passons comme un souffle violent, comme un bouleversement. Rien ne reste !

Le Soldat — Moi je suis ici et j'y reste.

L'Ange — Pour combien de temps ?

Le Soldat — Recommence pas !

L'Ange — Même pas le souvenir ! Tu m'entends ? Même pas le souvenir !

Le Soldat — Arrête !

L'Ange — Tu parles comme si les choses pouvaient être éternelles.

Le Soldat — Les choses sont là, pour toujours.

L'Ange — La seule chose éternelle, c'est que tout se transforme, que le mouvement ne cesse jamais. Qu'à chaque instant tout est différent du moment antérieur. Il y a un ordre dans le monde qui se propage jusqu'aux choses les plus insignifiantes. Après, il n'y a plus rien. Chaque petite chose est à la fois semblable et différente du reste. Mais ce qui importe, c'est que la matière est là. Que nous sommes la matière. Le monde est la seule réalité. Tu m'entends ? Après, il n'y a qu'un grand vide, un immense trou noir où les étoiles s'enfoncent jusqu'à disparaître, jusqu'au néant de tous les temps !

Le Soldat — Arrête ! Quand je suis là-haut, je suis libre !

L'Ange — Oui, mais en réalité tu n'es pas là-haut, tu es ici.

Le Soldat recommence à fabuler.

Le Soldat — Quand je suis là-haut, je suis comme toi. Est-ce que tu vas souvent là-haut? Même quand t'es ici?

L'Ange — Je t'ai déjà dit que je ne suis jamais allé là-haut.

Le Soldat le regarde. Cette fois, il a bien entendu, mais il n'est pas certain d'avoir bien compris. L'Ange répète, comme s'il avait honte de ce qu'il vient de dire.

Je ne suis jamais allé là-haut.

Le Soldat le regarde, méfiant, un peu étonné. L'Ange baisse les yeux. Ils sont remplis de honte.

Je ne sais pas voler.

Le Soldat ne saisit pas ce que l'Ange vient de lui confier.

Le Soldat — Pourquoi tu te moques de moi? Je te parlais comme à un ami.

L'Ange — Je ne me moque pas. Je ne sais pas voler.

Le Soldat — C'est pas vrai. Des fois t'es ici et des fois t'es pas là. Alors, t'es là-haut et j'aime pas qu'on me prenne pour un idiot.

L'Ange — Parfois je suis ici, d'autres fois je suis nulle part.

LE SOLDAT — Maintenant, t'es là.

L'ANGE — Oui.

LE SOLDAT — Et quand t'es pas là, t'es là-haut.

Confus dans ses propres pensées.

Est-ce que t'es ici, quand t'es là-haut ?

L'ANGE — Non. Je suis ici ou je suis nulle part.

LE SOLDAT — Si je ne te vois pas ici, c'est que t'es là-haut.

Il doute.

Mais si t'es là-haut, t'es aussi tout près d'ici parce que t'es un ange et que les anges comme toi sont toujours partout.

L'ANGE — Tu crois vraiment ça ?

LE SOLDAT — C'est pas ce que je crois ou ce que je crois pas. C'est comme ça.

L'ANGE — Peut-être que non. Peut-être que c'est seulement ce que tu crois. En réalité, tu es ici et moi je ne suis plus.

LE SOLDAT — Je ne suis pas toujours ici moi. Des fois je suis là-haut, comme toi et l'espace est tout rond et il n'y a pas de choses et je ne suis pas seul parce que je sais que c'est moi mais que je suis loin de moi et je ne suis pas seul et je n'ai pas peur.

Il regarde l'Ange directement dans les yeux. Prenant conscience de ses derniers mots, il se sent rassuré.

Là, en haut, j'ai pas peur.

L'Ange s'intéresse de plus en plus aux paroles du Soldat. Un filet de lumière s'installe dans ses yeux, comme un rêve inattendu.

L'Ange — Comment fais-tu pour aller là-haut ?

Le Soldat — C'est simple, je vole.

L'Ange — Tu voles ?

Le Soldat — Oui. Je vole. Je ferme les yeux et tout devient petit, en bas, et je vole et je suis là-haut.

L'Ange — Apprends-moi à voler.

Le Soldat — Ben… t'es un ange… et les anges, ils savent voler, non ? !

L'Ange — Les anges ne savent rien. Apprends-moi à voler !

Le Soldat hésite un long moment.

Le Soldat — Heu… Ben… Heu… T'es là, et après tu voles et t'es là-haut.

L'Ange — Comment ?

Le Soldat — Heu… Ben… Heu… Avec tes ailes ! Tu voles et t'es là-haut !

L'Ange — Continue !

Le Soldat recommence à fabuler.

Le Soldat — Moi, j'ai des grandes ailes quand je suis là-haut. Elles bougent comme si un vent tout-puissant les portait et mon corps se fait de plus en plus léger.

L'Ange — Continue, ne t'arrête pas !

Le Soldat — Des grandes ailes blanches qui frappent le vent et à chaque coup on s'éloigne du sol. Il faut que le rythme soit toujours le même, que les deux ailes s'accompagnent comme dans un miroir bleu. Des ailes blanches dans un miroir bleu. Tes bras, ouverts comme une croix, et le vent, comme un chant sur ton visage.

L'Ange — Montre-moi !

Le Soldat est heureux.

Le Soldat — Ouvre les bras !

L'Ange — Comme ça ?

Le Soldat — Oui, c'est ça ! Comme ça !

Le Soldat ferme les yeux, se laissant emporter comme par le souvenir d'un rêve enfantin. Il chuchote.

Tout est petit. Les ailes dans le miroir bleu. Les gens en bas parlent, on les voit bouger, mais ils sont toujours à la même place.

L'Ange, le regardant dans une extase joyeuse, essaie de l'imiter. Ensuite, il abandonne et laisse tomber ses bras le long du corps. Ses yeux admirent le Soldat.

Là, il n'y a rien. Rien que l'espace rond et la lumière autour de mes ailes. Les voix parlent en silence dans les champs très petits. Et les bras ouverts comme une croix. Et le vent comme un chant céleste sur mon visage.

Un coup de feu retentit dans le champ. Le bruit de la détonation augmente progressivement dans un écho étourdissant. Le Soldat ouvre les yeux et soudain, croise les bras sur sa poitrine. Il tremble de tout son corps. Sa respiration s'est arrêtée dans un souffle interminable, la bouche ouverte et l'expression figée.

Non… !

Le bruit de la détonation disparaît dans le temps.

Non… Ce n'est pas celle-là.

Soudain, il tombe à genoux. Puis, son corps s'affale. Son visage s'enfonce dans la boue. Dans un silence ultime son corps s'affaisse. Une brise légère souffle sur le champ. L'Ange s'approche lentement. Le Soldat gît dans la boue. L'Ange fait un geste, comme pour le toucher, mais il s'arrête, déconcerté.

L'angoisse de l'Ange devient insupportable.

L'Ange — Lève-toi. Arrête de jouer. Lève-toi. Fais-moi pas ça, lève-toi ! Pourquoi tu as pris la bottine ? Moi aussi... moi aussi... les bottines dans la boue... moi aussi... moi aussi les balles au seuil de la Patrie. Souviens-toi, tu voulais lui dire que tu existais, que la terre était en dessous de toi. Souviens-toi. Il faut que tu reviennes. Ils te feront des signes à l'entrée du chemin. Les oiseaux passeront vers le nord et le frère sera sous les ormes. Tu marcheras, ta valise à la main... Tu arriveras de loin pour célébrer la gloire. Il viendra lentement. Vous marcherez ensemble et vous serez heureux comme des frères perdus depuis longtemps. De l'autre côté du chemin, elle te regardera, les yeux pleins de larmes heureuses. Le ciel deviendra bleu et les nuages passeront et tout sera comme avant, au temps de la moisson. Tout sera comme avant. Lève-toi... lève-toi...

Suppliant.

Les balles viennent de si loin. La mort reste dans le silence des autres pour longtemps et les lettres restent là, à côté des corps, mais pas toi, pas toi... Je t'avais dit que la mort était comme une tache obscure qui s'approche lentement. Je te l'avais dit, mais tu ne voulais pas m'écouter, tu ne voulais pas. Lève-toi, tu as dit que ce n'était pas celle-là, tu l'as dit, tu l'as dit !

De plus en plus angoissé, dépassé par la situation, presque en larmes.

Tu as dit que ce n'était pas… que cette balle n'était pas… que ce n'était pas celle-là… Tu l'as dit !…Tu l'as dit !

Il reste un instant figé, en attendant une réponse, scrutant le corps du Soldat. Il est à l'affût du moindre mouvement, d'un signe qui puisse lui dire que la vie ne s'est pas complètement évanouie. Pas encore. Et puis, égaré, il commence à tourner autour du corps étendu du Soldat. Après de longues secondes pendant lesquelles la vie tout entière semble s'être arrêtée, l'Ange essaie de chanter, mais il n'arrive plus à composer la moindre mélodie. Sa voix se brise à tout moment.

Fais-moi pas ça… fais-moi pas ça…

Les bombardements recommencent avec une violence inouïe. On entend toujours la voix de l'Ange qui essaie de chanter un psaume. La fumée rouge envahit l'espace un court instant. Quand la fumée se dissipe, l'Ange n'est plus. Seul le vent souffle, blessant le silence. La nuit arrive lentement. Le vent cesse. Des lettres tombent du ciel, sur le Soldat mort.

FIN

TABLE DES MATIÈRES

Révision du manuscrit : Isabelle Bouchard
Copiste : Aude Tousignant
Composition et infographie : Isabelle Tousignant
Conception graphique : Caron et Gosselin, communication graphique
Photographies et illustration de la couverture : Jérôme Bourque
Violoncelliste : Daniel Finzi
Fille au violon : Maude Thenon
Ange et le soldat : Simon Drouin

Diffusion pour le Canada : Gallimard ltée
3700A, boulevard Saint-Laurent, Montréal (Qc), H2X 2V4
Téléphone : (514) 499-0072   Télécopieur : (514) 499-0851
Distribution : SOCADIS

Éditions Nota bene/Va bene
1230, boul. René-Lévesque Ouest
Québec (Qc), G1S 1W2
mél : nbe@videotron.ca
site : http://www.notabene.ca

ACHEVÉ D'IMPRIMER
CHEZ AGMV
MARQUIS
IMPRIMEUR INC.
CAP-SAINT-IGNACE (QUÉBEC)
EN AVRIL 2003
POUR LE COMPTE DES ÉDITIONS NOTA BENE

Dépôt légal, 2e trimestre 2003
Bibliothèque nationale du Québec